Protégés par les anges

HISTOIRES VRAIES ET MAGIQUES D'INTERVENTION ANGÉLIQUE

Jacky Newcomb

Traduit de l'anglais par
Martin Coursol

éditions

Syntonisez Radio Hay House au hayhouseradio.com

Éditeur : François Doucet
Traduction : Martin Coursol
Révision linguistique : L. Lespinay
Correction d'épreuves : Nancy Coulombe, Catherine Vallée-Dumas
Conception de la couverture : Matthieu Fortin
Photo de la couverture : © Thinkstock
Mise en pages : Sébastien Michaud
ISBN papier 978-2-89733-202-0
ISBN PDF numérique 978-2-89733-203-7
ISBN epub 978-2-89733-204-4
Première impression : 2013
Dépôt légal : 2013
Bibliothèque et Archives nationales du Québec
Bibliothèque Nationale du Canada

Éditions AdA Inc.
1385, boul. Lionel-Boulet
Varennes, Québec, Canada, J3X 1P7
Téléphone : 450-929-0296
Télécopieur : 450-929-0220
www.ada-inc.com
info@ada-inc.com

Diffusion
Canada :   Éditions AdA Inc.
France :   D.G. Diffusion
                Z.I. des Bogues
                31750 Escalquens — France
                Téléphone : 05.61.00.09.99
Suisse :   Transat — 23.42.77.40
Belgique :   D.G. Diffusion — 05.61.00.09.99

Imprimé au Canada

Participation de la SODEC. $\mathcal{S}$ODEC

Nous reconnaissons l'aide financière du gouvernement du Canada par l'entremise du Fonds du livre du Canada (FLC) pour nos activités d'édition.
Gouvernement du Québec — Programme de crédit d'impôt pour l'édition de livres — Gestion SODEC.

[L]a fontaine de toute connaissance angélique...
Tony Stockwell

Amours spéciales à Peyton x

À mes merveilleux admirateurs : merci pour
votre amour et soutien constants.
Puisse votre vie vous apporter tout ce que vous désirez !
Amour à profusion,
Jacky x

Table des matières

Introduction

CHER LECTEUR...

Le soleil brille sur les eaux bleu clair situées en dessous, nous laissant une lueur à couper le souffle, tels des diamants sur les vagues. Ce n'est pas la première fois que je remercie silencieusement mes anges de m'avoir donné les Cornouailles, en Angleterre, comme point d'ancrage, particulièrement en ces temps difficiles sur Terre. Souvent, mon mari John et moi garons la voiture dans le stationnement situé au-dessus des falaises afin d'admirer les couchers de soleil éblouissants : la lumière du soleil qui se fractionne en différents tons d'orange, de rouge, de rose et de violet, stratifiant le ciel tel un millefeuille exotique, avant de s'immobiliser sur l'horizon et de se mettre silencieusement au lit.

Au moment où j'écris ces lignes, je suis assise sur un rocher surplombant la mer à Tintagel. La localité de Tintagel est située sur la côte nord des Cornouailles et est associée à la légende mystique du roi Arthur et de ses chevaliers de la Table ronde. On peut accéder au château du roi Arthur en marchant en contrebas depuis le sommet de la falaise ; au fil des ans, l'érosion a fait en sorte qu'un pont a dû être construit afin que les habitants et les touristes puissent accéder à cet endroit magique.

Les Cornouailles sont l'un des endroits les plus magiques au monde et je suis assez chanceuse pour avoir pu y élire domicile. L'énergie de cet endroit à couper le souffle fait qu'il est facile pour moi de communiquer avec mes anges et mes guides. Le sentiment de sérénité qui m'habite la plupart du temps a sûrement à voir avec ce lieu enchanté. Pourtant, les anges sont partout : dans les endroits les plus sombres comme dans les vibrations les plus légères. Ils nous suivent au travail et s'assoient avec nous pendant que nous étudions ; ils sont avec nous où que nous allions, mais ils se rapprochent davantage lorsque nous leur demandons de l'aide. Les anges désirent nous aider dans le cadre de nos vies quotidiennes. Leur rôle est de nous aider et de nous protéger.

Dans ce nouveau livre passionnant nous allons explorer ensemble les rôles des anges ainsi que leur raison d'être ; bien sûr, j'illustrerai le tout avec de magnifiques histoires vécues, comme je le fais toujours. Vos propres rencontres magiques avec ces êtres de lumière me parviennent des quatre coins du monde.

Les anges sont des êtres réels, et non le fruit d'histoires imaginaires. Des gens normaux et ordinaires ont connu des moments de réconfort lorsque des mains invisibles ont tenu les leurs, que quelque chose d'invisible les a étreints, ou qu'une main rassurante et immatérielle s'est posée sur leur épaule... et parfois même lorsqu'une voix bienveillante, sortie tout droit de l'obscurité, leur a chuchoté que tout irait bien.

LA TERRE CHANGE

Les anges ont toujours veillé sur les humains dont ils ont la charge, mais ils sont encore plus près d'eux pendant les périodes de changement. Déjà, ils se sont rassemblés en groupes quand des pays sont entrés en guerre, ou bien lorsque des tragédies terrestres comme des tornades et des tremblements de terre ont eu lieu.

Notre Terre procède présentement à un autre type de transition. L'énergie de notre planète s'accélère et passe à une vibration plus élevée. Plusieurs d'entre nous peuvent déjà sentir un changement s'opérer dans leur propre vie. Nos vies en seront transformées à jamais... mais dans le bon sens.

NOTRE CORPS CHANGE

Beaucoup d'entre nous ont constaté que nous ne pouvons plus manger les aliments que nous avions l'habitude de consommer. Le sucre, les aliments transformés et les produits chimiques ménagers sont à l'origine de problèmes comme jamais auparavant. Des allergies apparaissent là où il n'y en avait pas auparavant. Notre corps a de plus en plus besoin d'aliments et de produits naturels, purs et biologiques. Moins la marchandise a été manipulée, mieux c'est ; plus un produit est local, moins il nécessite de transport, et mieux c'est pour l'environnement. Des distances plus courtes signifient moins de camions sur les routes, moins de carburant utilisé et des produits plus frais. Les routes de campagne autour de chez moi sont pleines de lotissements, des terres arables sectionnées où les gens se sont remis à cultiver leur propre nourriture.

Beaucoup d'entre nous ont déjà remarqué que des changements étaient survenus dans leurs capacités psychiques. Combien de fois vous êtes-vous surpris à dire : «Oh, je pensais justement à ça moi aussi!» ou «Je savais que tu dirais ça!». C'est que notre communication sera de plus en plus non verbale. C'est comme si nos dons télépathiques étaient réactivés. Sachez que la plupart des autres races dans l'univers ne recourent pas du tout à la communication verbale. Des idées vous seront communiquées par vos guides et vos anges en blocs d'informations. Des idées entières apparaîtront dans votre tête d'un seul trait, et vous vous demanderez : «D'où cela vient-il?!» Les humains entreprennent un changement développemental — et c'est excitant!

LES NOUVEAUX ENFANTS

Des bénévoles de partout dans la galaxie sont arrivés afin de contribuer à l'avènement de la Terre nouvelle. Ça vous paraît saugrenu? C'est pourtant vrai! Alors n'allez surtout pas refermer ce livre! Des esprits purs, aux vibrations élevées, ont choisi de naître parmi la lourde atmosphère qui règne dans notre monde parce que nous avons besoin d'aide. Depuis trop longtemps, nous conduisons la planète vers une tragédie. Nous creusons des trous dans le sol, empoisonnons les terres et expérimentons des produits et des procédés chimiques pour lesquels nous nous sommes arrogé les droits. Les déchets sont jetés à la mer ou enterrés sous la terre, cachés, mais jamais oubliés. Il y a les guerres, il y a les émeutes… à quoi jouons-nous? Il est temps d'arrêter.

Nos frères et sœurs extraterrestres et interdimensionnels lèvent les bras au ciel, avec horreur, devant les torts que nous avons déjà causés à notre précieuse planète. Il ne nous sera pas permis de nous autodétruire. Pouvez-vous imaginer les effets profonds que cela aurait sur d'autres mondes (à la fois visibles et invisibles pour nous)? Ce n'est pas seulement nous qui en subirions les conséquences! Si notre Terre devait exploser, cela affecterait d'abord notre propre univers, puis notre galaxie et d'autres galaxies — comme les ondulations à la surface d'un étang. Qui sait quels torts nous avons déjà causés aux mondes situés au-delà du nôtre?

Tout comme dans la série télévisée *Star Trek*, il y a un code de non-ingérence qui s'applique à tous ceux qui proviennent d'autres mondes. Que pourraient alors faire nos amis pour nous aider sans intervenir? Ils ne peuvent pas se matérialiser sur la planète; cela a été fait auparavant, et les générations humaines précédentes ont adoré ces êtres comme s'ils étaient des dieux. (Vous n'avez qu'à vous renseigner sur les «mythes» et les légendes de civilisations anciennes pour découvrir quand et où cela s'est produit.) Tout ce qu'ils nous ont appris a été mal utilisé : les anciennes technologies ont toujours été transformées en arsenal par les races d'hommes rompues à la guerre.

Ils (les âmes de nos frères et sœurs des autres mondes) ont donc décidé d'envoyer des âmes sous «forme humaine»; cette fois-ci, ils se sont matérialisés en tant qu'êtres humains. Il a été convenu qu'il s'agissait là d'une façon acceptable d'apporter les changements nécessaires pour sauver la planète. Ces âmes intègrent ainsi un corps à la naissance, au même titre que les autres âmes. Plusieurs de nos propres enfants et petits-enfants font partie de ce «groupe de volontaires ». Au cas où vous souhaiteriez en apprendre davantage, j'ai écrit à leur sujet dans mon livre *Angel Kids*. Même si cela peut sembler tiré par les cheveux, je suis sûre que vous sentirez la justesse de ce que j'avance. Je ne fais pas dans ce qu'on pourrait appeler le charabia nouvel âge !

De nombreux parents, soignants et enseignants du monde entier ont pris conscience des aptitudes particulières de leurs enfants. Ces jeunes ont une prédisposition pour le savoir et l'apprentissage que les autres n'ont pas. Beaucoup d'entre eux présentent d'évidentes capacités psychiques, parfois simples, d'autres fois extraordinaires. En 1997, un livre de Paul Dong et de Thomas E. Raffill, *China's Super Psychics*, a fait état de certaines capacités extrêmes parmi cette nouvelle vague d'aptitudes. Beaucoup de ces enfants faisaient partie de la première vague de volontaires, tâtant le terrain pour ceux qui allaient les suivre. Certaines des personnes abordées dans le livre étaient nées avec des aptitudes inhabituelles, tandis que d'autres avaient vu leurs aptitudes apparaître à la suite d'accidents ou de maladies (après une expérience de mort imminente, par exemple, ou après avoir été frappés par la foudre). D'autres encore avaient développé leurs capacités à travers des techniques de méditation profonde ou par le biais de pratiques associées au *Qi* (énergie ou force vitale), comme le Qi Gong.

Une jeune fille était en mesure de « lire » des mots écrits sur des bouts de papier qui étaient placés à l'intérieur d'un étui à crayons. Après avoir vu le caractère chinois pour « chien jaune », elle s'est imaginée en train de dessiner la forme, repassant par-dessus les traits dans sa tête. Lorsque le testeur a ouvert l'étui, le caractère avait été écrit pour une deuxième fois sur le papier... sans que l'étui n'ait jamais été ouvert. Un second test a été réalisé en utilisant les caractères chinois pour «eau qui coule d'une haute montagne». L'expérience a reproduit le même résultat, avec une deuxième version ayant été en quelque sorte psychiquement recréée par l'enfant, et ce, par la seule force de l'esprit! Tout hallucinante qu'elle puisse être, cette expérience n'est cependant que le début.

Cette histoire a été postée sur mon forum dédié aux enfants parapsychiques :

> *Mon fils de 10 ans a une amie imaginaire depuis l'âge de trois ans. Elle s'appelle Gloria et, encore aujourd'hui, il continue de discuter et de jouer avec elle. Je me suis toujours demandé s'il s'agissait de son ange gardien ou d'un esprit. Il y a encore quelques années, il avait l'habitude de lire dans mes pensées, ainsi que dans celles de son frère. Il répondait même aux choses que nous avions en tête, sans que nous les ayons encore exprimées. Cela effrayait son frère, mais moi je trouvais ça fascinant. Aussi, il a déjà décrit une petite fille quand nous étions dans la vieille maison de ma mère et, curieusement, ma grand-maman —*
> *qui était médium, mais qui est maintenant décédée — avait décrit la même petite fille. Aujourd'hui, il ne lit plus dans mes pensées, mais il a encore Gloria, son amie «imaginaire».* — HELEN

Les chercheurs d'un collège en Chine, dans la province du Yunnan, ont travaillé avec plusieurs enfants pour voir s'ils pouvaient pousser plus loin leurs capacités psychiques. Après seulement une semaine, les cinq enfants choisis étaient capables de lire en utilisant leurs doigts, leurs paumes, leurs orteils et la plante de leurs pieds. Ils pouvaient passer leurs mains sur le papier, ou se tenir debout sur les mots, et les absorber psychiquement; ils étaient même en mesure de traduire le « sens » des mots en mots réels… comme s'ils les lisaient! Comment un être humain peut-il « lire » en scannant simplement des mots à l'aide de parties du corps autres que ses yeux physiques? Cela paraît impossible, mais c'est pourtant arrivé.

Dans le cadre d'une autre expérience, quatre jeunes filles ont reçu des vases ayant été disposés à l'intérieur de contenants scellés. Elles ont ensuite été invitées à « choisir » une fleur ou un bouton de fleur (psychiquement, dans leur esprit) à mettre dans le vase. Lorsque les sceaux ont été brisés pour vérifier le succès de l'expérience, les filles avaient chacune rempli leur vase comme demandé. Le vase d'une des jeunes filles contenait un bouton de jasmin d'hiver, un autre contenait une feuille provenant d'un arbre, un troisième contenait un bouton de fleur, et le quatrième, une fleur en pleine éclosion! Le test a duré une demi-heure, mais ce qui est plus surprenant, c'est que l'un des testeurs a remarqué quelque chose d'inhabituel à propos de l'un des boutons de fleur. Lui-même cultivait chez lui un type de thé rare. Une plante poussait depuis plus de trois ans sur son balcon et n'avait produit qu'un seul bourgeon. Lorsqu'il est rentré chez lui, le bourgeon avait disparu; une des enfants parapsychiques l'avait choisi par le pouvoir de son esprit et l'avait psychiquement transporté dans un des vases placés dans un contenant! Bien sûr, il était ébahi devant le résultat, mais il était également déçu d'avoir ainsi perdu son bourgeon!

D'autres enfants parapsychiques ont la capacité d'ouvrir des boutons de fleur par le seul truchement de leur esprit, puis de les faire éclore. En 1993 et 1994, une équipe de tournage a réalisé un documentaire sur ces aptitudes psychiques qui s'intitulait *An Investigation of Life's Extraordinary Phenomena*. Dans le livre qu'ils ont écrit en 1997, Paul Dong et Thomas E. Raffill disent que ce documentaire est devenu une série et qu'il a été plus tard transformé en 13 vidéos intitulés *Developing the Latent Powers of Children*.

Le pouvoir psychique de ces enfants est réel, testé et éprouvé ; et même si des tests aussi poussés ne semblent pas avoir été réalisés dans d'autres parties du monde (pour autant que nous le sachions), les parents de partout vous diront que c'est inutile : ils savent déjà que leurs enfants sont parapsychiques ! L'histoire qui suit a également été postée par une lectrice sur mon site :

> *Mon garçon de neuf ans m'a dit qu'il « savait des choses »
> sur les gens, et il sait parfois ce qui va se passer avant
> même que cela arrive. Lorsqu'il rencontre de nouvelles
> personnes, il les aime ou les déteste instantanément sui-
> vant le sentiment qu'elles suscitent en lui. Il m'a de plus
> signalé qu'il voyait de « drôles de gens » se promener aux
> alentours (et je ne parle pas des voisins !). J'ai bien souvent
> les mêmes sensations que mon fils, seulement je n'ai
> jamais discuté de ça avec lui. —* SUZIE

Si vous souhaitez lire d'autres histoires comme celles-ci, je vous invite à vous procurer mon livre *Angel Kids*.

AUTRES CHANGEMENTS

Les gens effectuent actuellement un retour à l'exercice et à la méditation, plutôt que de poursuivre des activités telles que de regarder la télévision ou de jouer à des jeux vidéo. Il est temps de recommencer à bouger et de marcher au lieu de prendre la voiture.

Plusieurs de mes amis ont opté pour une seule voiture plutôt que pour les deux voitures habituelles que possède chaque foyer dans ma partie du monde. Nous sommes de plus en plus conscients de l'importance de réaliser des économies d'électricité et de gaz à la maison. Lorsque nous quittons notre domicile, nous essayons de ne pas oublier de débrancher nos fiches sur les prises de courant. Saviez-vous que même si votre appareil électrique est éteint, il utilise encore de l'électricité s'il est branché?

Plusieurs d'entre nous veillent à recycler ou à apporter leurs propres sacs à provisions au supermarché, faisant ainsi économiser des millions de dollars en fabrication de sacs plastiques, sans parler des économies d'énergie qu'entraîne la réduction de la production. Aussi, pouvez-vous faire sortir ce peu de dentifrice qui reste à la fin de votre tube, ou encore couper l'extrémité de votre bouteille ou de votre tube de crème afin d'en extraire le dernier soupçon? Ne pouvez-vous pas laver et réutiliser vos pots de confiture? N'est-il pas possible de cueillir des graines dans le jardin afin de recréer de nouvelles plantes à partir de celles-ci?

La récession nous a appris beaucoup de choses, y compris sur la façon de moins consommer et de rationaliser nos besoins. Les choses que nous pensions être importantes ne le sont plus. Plusieurs se souviennent des temps passés, plus maigres, et comprennent fort bien cette «nouvelle» façon de vivre, puisqu'ils l'ont déjà vécue. Ne pouvez-vous pas réparer plutôt que de jeter? Ne pouvez-vous pas simplement changer la couleur plutôt que d'acheter du neuf? N'est-il pas possible de polir vos chaussures, de réimperméabiliser vos manteaux et de recoudre ces boutons qui sont tombés?

Les esprits que nous sommes n'ont besoin d'aucun des «conforts» de la vie terrestre... bien que nous nous soyons certainement habitués à eux! C'est lorsque nous passons à travers les portes du ciel que nous nous rappelons que notre raison de vivre n'était pas l'acquisition de choses matérielles ni l'accumulation de richesses. Mais comment pouvons-nous nous être écartés à ce point?!

Pourquoi sommes-nous ici? Nous vivons pour AIMER; aimer autrui, aimer les animaux sur la planète, aimer la Terre elle-même. Il est temps de remplir votre esprit de pensées positives et aimantes. Les gens qui ne sont pas au diapason de cette nouvelle vibration, plus élevée, s'effondreront. Vous ne vous sentirez plus en contact avec les personnes qui vibrent à basse fréquence. Les gens qui sont source d'angoisse et de stress ne feront plus partie de notre monde. Laissez-les partir avec amour. Quel est le sens de la vie? L'AMOUR — c'est aussi simple que cela.

Vous vous sentirez davantage attiré par les gens qui vous élèvent, ainsi que vers le travail qui vous permet de vous réaliser. De même que vous changerez votre alimentation, vous aurez peut-être envie de vous habiller différemment, et certainement de mieux prendre soin de votre corps. Profitez de ce périple qui nous mènera vers un mode de vie plus simple et plus épuré. Pétillez et crépitez d'énergie tandis que vous vous réappropriez votre véritable moi.

LES ANGES

Ainsi, les anges sont arrivés. Il est temps de nous éveiller à notre seul véritable but, de nous rappeler respectivement notre mission sur Terre. Pourquoi sommes-nous ici ? Nous allons examiner cela un peu plus tard, mais je peux dès maintenant vous assurer d'une chose : vous n'êtes pas seul. Même si vous sentez parfois l'être, sachez que vous êtes pris en charge par votre ange gardien et, en cette époque qui est la nôtre, par de nombreuses autres créatures de l'univers. Des moments excitants sont à venir, alors accrochez-vous bien et profitez du voyage !

Comment utiliser ce livre

Ce livre est divisé en trois sections différentes. Mes lecteurs aiment toujours savoir ce qui s'est passé dans ma propre vie rocambolesque ; je vais donc partager quelques-unes des expériences que j'ai vécues depuis mon dernier livre. Comme je rencontre des tas de gens charmants dans le cadre de mon travail, je vais me concentrer sur certaines des expériences qui me sont arrivées dans ce contexte particulier. Alors qu'ai-je fait ces derniers temps ? Lisez la première partie pour le savoir... ou vous pouvez passer directement à la deuxième partie si vous préférez.

La seconde partie est exclusivement réservée aux anges. Qui sont-ils ? Comment pouvons-nous travailler avec eux dans notre propre vie ? Et que se passe-t-il sur notre planète en ce moment même ? Bien sûr, je savais que vous aimeriez lire quelques trucs amusants sur la connexion avec vos propres anges et guides, alors j'ai fait preuve d'un peu d'inspiration dans cette dernière section.

La troisième partie est remplie d'histoires sur les anges, qui sont arrivées dans la vie quotidienne de beaucoup d'entre nous. Je me souviens d'une admiratrice qui s'était procuré une copie d'un de mes livres pour l'emporter en vacances avec elle. Quelques années auparavant, elle avait lu un autre de mes livres et, après l'avoir terminé, elle m'avait envoyé un courriel pour partager une histoire d'ange qui lui était personnellement arrivée. Même si j'avais écrit pour lui dire que je reproduirais son expérience dans mon prochain livre, cette femme avait tout oublié de notre conversation. Imaginez sa surprise quand elle est tombée par accident sur sa propre expérience dans le nouveau livre qu'elle venait d'acheter! Quand elle est revenue de vacances, elle m'a immédiatement écrit. «Maintenant, je sais que ces histoires sont réelles», m'a-t-elle expliqué. «Vous avez reproduit mon histoire exactement comme je vous l'avais racontée!» Alors maintenant, vous le savez : les histoires sont 100 % réelles!

Première partie

Travailler avec les anges

Je suis près de toi, peux-tu me sentir ?
Peux-tu sentir mes ailes autour de toi ?
Sais-tu que je suis à côté de toi ?
Peux-tu concevoir que tu n'es pas seul ?
Jacky Newcomb

Ma vie psychique

*Des millions de créatures spirituelles marchent invisibles dans
le monde, quand nous veillons et quand nous dormons.*

John Milton, LE PARADIS PERDU

D'une certaine façon, on peut dire que j'ai travaillé avec les
anges toute ma vie… d'une autre, on peut tout simplement
dire qu'*ils* ont commencé à travailler avec *moi* de manière
sérieuse il y a environ 12 ans… plus ou moins ! Sérieusement,
les anges ont fait constamment irruption dans ma vie, et ma
famille, dans son ensemble, a toujours été un peu bizarre…
surtout moi !

Mes sœurs et moi avons vécu des phénomènes paranormaux tout au long de notre enfance : des parents décédés
qui venaient régulièrement nous visiter en rêves, par
exemple. Au début, il n'y avait que mon oncle Eric, le frère
de papa. Mais plusieurs années plus tard, quand papa est
lui aussi décédé, il est également devenu un visiteur régulier ; si bien que ma sœur, Madeline Richardson, et moi
avons écrit un livre sur les aventures psychiques de notre
famille après le décès de mon père. Papa, comme Eric avant
lui, faisait vaciller les lumières, déclenchait les alarmes et
faisait des siennes avec la musique qui s'élevait du lecteur

de CD ou de la radio. Il était même capable de changer la chaîne de télévision et, bien sûr, tout comme mon ange gardien, mon père et mon oncle Eric nous laissaient des plumes blanches qui attestaient de leur présence et nous rappelaient que tout irait bien.

Pas plus tard que cette semaine, par exemple, papa est venu me visiter. De son vivant, papa était un grand pêcheur — c'était l'une des choses qui le caractérisaient, si vous voulez. À son décès, nous avons même fait ajouter un ensemble de poissons en bois peint sur son cercueil (avec la mention «Parti à la pêche» écrite sur le côté). Papa n'est jamais bien loin, mais cette fois-là, il était prêt à me montrer qu'il était avec moi, de façon aussi inattendue que sagace...

Je travaillais sur mon site (mon mari et moi concevons des sites Internet) et, comme à l'habitude, j'avais perdu la notion du temps. J'avais travaillé littéralement toute la nuit et il était alors 7 h 30 du matin. J'ai soudain senti que je n'étais plus seule et j'ai alors chuchoté à une personne invisible : «Oui, je termine ça et je m'en vais droit au lit.» J'avais réuni un ensemble de couvertures de magazines et j'étais en train de les assembler en une dernière photo prête à afficher sur le site. J'ai tapé le nom du fichier, «montage de magazines», et j'ai cliqué sur le bouton «Enregistrer». Comme je regardais vers le haut de l'écran, prête à mettre ma nouvelle image en place, j'ai remarqué qu'elle avait été rebaptisée. Mon fichier s'appelait maintenant «PÊCHE»! Même les plus sceptiques devront admettre qu'on peut difficilement commettre une faute de frappe qui nous fasse écrire «pêche» au lieu de «magazine»! Aucun autre fichier ou image sur mon ordinateur ne s'appelait «pêche», et je n'avais visité aucun site Web correspondant à ce nom; je ne pouvais en aucun cas avoir enregistré le fichier sous cette appellation par accident (je n'ai aucun intérêt pour la pêche!). Mon interlocuteur était bien entendu papa. Il me visitait depuis l'autre côté pour voir ce que je faisais, se demandant probablement pourquoi j'étais restée debout toute la nuit! Béni soit-il.

Ceux qui me lisent régulièrement savent que ce phéno-mène — la communication spontanée avec l'Au-delà — revient dans plusieurs de mes livres. J'adore partager des faits vécus qui ont trait aux anges et à l'Au-delà. Qui a besoin de fiction quand la vraie vie est si renversante, n'est-ce pas?

Comme mes autres livres, celui-ci contient aussi des his-toires de protection et d'amour angéliques. J'ai interrogé plusieurs des personnes qui ont partagé leurs histoires avec moi afin que je puisse présenter un peu de leur vécu et ce que ces personnes avaient de si spécial... Bref, je tenais à partager les histoires qui se trouvaient derrière ces rencon-tres surnaturelles.

Je ne me suis toutefois pas limitée qu'aux «histoires d'anges»; de nombreuses autres rencontres dramatiques et stupéfiantes méritent aussi d'être connues, alors je les ai mélangées toutes ensemble avant de les soumettre à votre attention. Je sais que vous serez ému et surpris comme je l'ai été. Vous vous demanderez : ces histoires se sont-elles vrai-ment produites? Je vous assure que oui. Elles sont le fait de gens normaux, comme vous et moi, à qui c'est arrivé dans la vie de tous les jours.

C'est passionnant de voir que d'autres personnes ont aussi commencé à écrire au sujet de leurs histoires avec les anges. En fait, l'engouement ne se dément pas. Au fil des ans, de plus en plus de célébrités sont sorties de leur mutisme et ont affirmé croire, elles aussi, aux anges. De nombreuses personnalités de la télévision lisent mes livres et sont heureuses de pouvoir parler de leurs propres croyances à l'intérieur des magazines ou des journaux. «Je crois aux anges...» admettent-elles, ou «Un ange m'a aidé à arriver là où je suis aujourd'hui...» suggèrent-elles sans la moindre gêne! Ce que tout cela signifie, bien sûr, c'est que de nos jours, il est permis de parler de vos anges. Il est acceptable de croire à ces êtres d'un autre monde. Mais si vous êtes comme moi, vous en parlez de toute façon déjà!

VIBREZ À LA BONNE FRÉQUENCE... AVEC UN «RÉGIME ANGÉLIQUE!»

Mon propre cheminement a connu cette année un véritable tournant. Au cours des dernières années, mes anges m'ont poliment suggéré de revoir mon alimentation. Ils voulaient que je me concentre sur les aliments à vibrations élevées : fruits et légumes frais, salades, graines, noix et protéines de qualité supérieure (je ne mange pas de viande, mais je raffole du poisson). J'ai commencé d'une manière hésitante — le sucre était pour moi une tentation énorme — mais les anges ont insisté pour que je n'en mange pas. Je devais «m'alléger» spirituellement.

Tout en laissant de la place à mon «libre arbitre», je me suis soudain rendu compte que les aliments que j'avais mangés et appréciés toute ma vie (gâteaux, biscuits, bonbons... surtout le chocolat, le pain blanc tranché épais, la crème et le sucre) n'avaient plus leur place dans mon organisme. J'ai soudainement développé une sorte d'allergie à leur endroit. J'ai aussi coupé radicalement le sel (avec pour résultat que ma tension artérielle a baissé). Non pas que je me plaigne — mon cerveau semble en tout cas penser plus clairement depuis que j'ai adopté un régime santé. En ingérant beaucoup moins d'aliments transformés, j'ai remarqué que je me sentais mieux... sans parler de mon apparence.

Le monde change et nous devons changer avec lui. Jamais n'avons-nous eu accès à une telle variété de fruits et de légumes frais ; le coût des produits biologiques est en baisse et, bien sûr, beaucoup d'entre nous peuvent eux-mêmes s'aménager un potager. Si vous ne pouvez vous permettre qu'une jardinière ou quelques pots sur le rebord d'une fenêtre, il est toujours possible de faire pousser quelques herbes fraîches avec lesquelles cuisiner.

L'eau fraîche est encore moins chère qu'à peu près n'importe quel autre liquide, et c'est ce dont notre corps a besoin plus que tout. Les maux de tête et beaucoup d'autres choses peuvent être causés par la déshydratation, alors assurez-vous de boire suffisamment d'eau.

Une autre chose vers laquelle j'ai été attirée cette année est la spiruline, un complément d'algues bleu-vert vendu sous forme de comprimés et disponible dans les magasins de santé naturelle. La spiruline est riche en fer (utile si vous ne mangez pas de viande), c'est presque un «aliment complet» en soi et ça me donne beaucoup d'énergie (elle remplace facilement le sucre que j'avais l'habitude de manger pour le regain d'énergie qu'il me procurait). Certains fabricants affirment que la spiruline possède d'autres propriétés, mais je préfère vous laisser juger de tout cela par vous-même. Mais n'oubliez pas de consulter votre médecin avant d'apporter tout changement à votre alimentation.

Suis-je soudainement devenue une «fana de la santé»? Pas du tout! Je fais quelques étirements et je soulève quelques poids légers presque tous les jours, je nage une fois ou deux fois par semaine, et je vais au gym peut-être une ou deux fois par semaine également. Je m'en vais dans la bonne direction! J'ai entre autres perdu du poids — un effet secondaire qui n'est pas désagréable. Je mange encore des croustilles de temps en temps et je bois un verre de champagne à l'occasion... une fille a bien le droit de s'amuser un peu, non? Nous avons tous besoin d'être rebelles de temps à autre (mais ne dites à personne que j'ai dit ça!).

IAN LAWMAN ENTERRÉ VIVANT

L'an dernier, j'ai suivi mon ami Ian Lawman, un exorciste et un médium qui travaille pour la télévision, alors qu'il se faisait enterrer vivant dans le cadre d'un événement de charité. Ian a «vécu» dans un petit cercueil en forme de boîte, six pieds sous terre, au château hanté de Dudley dans les Midlands de l'Ouest. Pendant sept jours, il a subsisté grâce à des provisions d'eau et de barres nutritives. Un fou, me direz-vous? Peut-être, mais Ian a aussi fait preuve d'un grand courage. Il a contribué aux activités de financement de deux grands organismes de charité : Help for Heroes et la PC David Rathband's Blue Lamp Foundation. PC Rathband qui, depuis, nous a d'ailleurs malheureusement quittés.

Alors que Ian était enseveli sous près de deux tonnes de terre, moi, avec beaucoup de ses admirateurs, suivions son exploit en direct dans le même salon de bavardage... l'expérience était très addictive et je me suis régulièrement connectée à notre cybersalon! Plusieurs fois par jour, Ian bavardait avec ses admirateurs à l'aide d'une webcam qui avait était fixée à l'intérieur du «cercueil». Les admirateurs posaient des questions et un ami de Ian lui relayait les messages. Ce dernier était en mesure de répondre aux admirateurs à l'aide de la webcam, et le tout était retransmis en direct.

Ian a eu plusieurs expériences paranormales alors qu'il était enfoui sous terre, notamment des esprits qui lui ont rendu visite pendant qu'il dormait — pensaient-ils qu'il était mort comme eux? Ian était scellé dans une boîte, mais un tube de verre (également scellé) avait été placé au-dessus de sa tête, ce qui signifie qu'une lumière naturelle, bien que faible, lui venait d'en haut. L'ensemble du site «d'enterrement» était recouvert d'une tente et Ian était surveillé 24 heures par jour par des bénévoles.

Mais ce que j'ai préféré, c'est lorsque Ian a communiqué avec moi par messagerie texte (il avait un téléphone portable avec lui qu'il pouvait utiliser occasionnellement pour envoyer des messages textes à sa famille et ses amis; aucun signal pour le clavardage, cependant). J'ai dit à Ian que je croyais qu'il était protégé par des anges au cours de son expérience. Le lendemain, Ian m'a envoyé un texto pour me dire que lorsqu'il s'était réveillé, une plume blanche était collée de l'autre côté (scellé) de la cloison de verre au-dessus de sa tête! Ce qui est encore plus étrange, c'est que cette mystérieuse plume a par la suite disparu. Il semble que les anges veillaient vraiment sur lui, après tout. Quoi qu'il en soit, félicitations pour avoir amassé autant d'argent, Ian!

UNE ÉMISSION DU MATIN... SUR LES ANGES

J'ai été ravie d'être invitée à ITV, à l'émission *This Morning*, pour une édition spéciale sur les anges. J'adore être invitée à cette émission, et j'y ai bien fait quelques apparitions au fil des ans. Cette fois, je me suis assise à côté de la présentatrice Gloria Hunniford, laquelle croit réellement aux anges. Impeccablement habillée et belle comme toujours, Gloria m'a interviewée et nous avons échangé sur nos croyances en studio, avant de transporter notre conversation en coulisses.

La ravissante présentatrice, Holly Willoughby, était enceinte lors de ma présence devant la caméra et j'étais ravie de lui avoir déniché un ange en peluche (un ours en peluche avec des ailes d'ange) que je lui ai remis en guise de cadeau pendant notre segment. Holly a finalement accouché d'une petite fille en excellente santé peu de temps après mon passage à l'émission... En espérant que le bébé a apprécié son ourson !

Les commentaires qui ont par la suite été envoyés par courriel, ou laissés sur la page Facebook de l'émission, étaient tout simplement extraordinaires et, comme toujours, je suis rentrée avec de splendides photos en souvenir de mon passage à *This Morning*.

... ET SUR LES FANTÔMES

Le médium pour la télévision, Barrie John, a fait une apparition à la même émission seulement quelques semaines plus tard. Il y était pour parler des fantômes. La pauvre Holly a paru effrayée pendant cette séance de l'émission et, à un certain moment, elle a effectivement quitté le studio. Son coanimateur Phillip Schofield a déclaré par la suite qu'il n'avait jamais vu personne quitter le plateau auparavant... et à cette occasion, il s'agissait de nulle autre que de sa coanimatrice !

Les gens du studio ont alors pensé qu'il valait mieux obtenir de l'aide pour Holly et ils l'ont envoyée voir des professionnels : les psychothérapeutes et instructeurs dans le domaine du développement personnel Nik et Eva Speakman. Le couple a travaillé avec Holly afin de la désensibiliser à l'égard des phénomènes étranges et, quelques jours plus tard, on a demandé à Barrie de revenir en studio pour refaire la séance. Malheureusement, cette fois, Barrie ne pouvait se déplacer, car il avait déjà pris d'autres engagements. Il a donc suggéré que je prenne sa place.

Les Cornouailles ne sont toutefois pas la banlieue de Londres. De plus, maman venait tout juste d'arriver des Midlands pour passer un peu de temps avec nous (elle avait roulé quelques heures en voiture), mais les réalisateurs de l'émission ont eu la gentillesse de lui offrir l'hébergement à elle aussi et, avec mon mari John pour nous y conduire, nous avons tous les trois passé un moment fabuleux dans la capitale. J'ai suggéré à maman et John de se faufiler dans le studio pendant que je réalisais mon entrevue pour la télévision. Maman était déjà ravie à l'idée de faire un voyage inattendu à Londres... mais le fait d'être prise en photo avec Phillip et Holly était un vrai imprévu ! Elle a adoré.

J'étais ravie d'être invitée à nouveau sur le plateau si peu de temps après ma dernière apparition. Cette fois, j'ai été invitée à apparaître aux côtés du Dr Chris French, dont le principal champ de recherche est la psychologie des croyances et des expériences paranormales. Il était le « sceptique » et j'étais la « croyante ». En réalité, nos croyances étaient assez similaires, alors j'ai plaisanté avec Chris avant que nous n'entrions en ondes ; je lui ai dit que nous devrions simuler un affrontement afin d'augmenter l'intensité dramatique de notre prestation... nous ne l'avons pas fait, mais néanmoins, comme Holly était maintenant guérie de sa « phobie », nous avons tous les quatre terminé la séance sur un véritable fou rire ! Bien joué, Holly !

RENCONTRER RIGHT SAID FRED

Mais il y avait encore du plaisir à l'horizon : j'ai eu la chance d'être invitée à aller voir Right Said Fred en concert à Londres. Le chanteur Fred Fairbrass est un ami Facebook, alors il n'en fallait pas plus pour que mon mari et moi partions passer une autre nuit à Londres. Les frères se sont avérés incroyables et nous nous sommes bientôt retrouvés à chanter tous leurs anciens succès avec eux.

Richard Fairbrass et moi avons échangé quelques messages sur Twitter avant le spectacle et il m'a dit qu'ils avaient déjà habité dans une maison hantée. Je trouvais ça fascinant. Je prévois d'ailleurs interviewer les frères bientôt afin d'en apprendre davantage sur leur histoire psychique. Leur histoire se retrouvera peut-être dans mon prochain livre !

PSORIASIS

La plupart d'entre nous éprouvent des problèmes de santé, et mon problème à moi, c'est que j'ai une maladie de la peau connue sous le nom de psoriasis. Le psoriasis survient lorsque le système immunitaire envoie des signaux défectueux qui accélèrent le cycle de croissance des cellules de la peau. Le psoriasis n'est pas contagieux, mais il est très ennuyeux! Certaines parties de la peau se «renouvellent» plus régulièrement que les autres, ce qui entraîne une abondante desquamation de la peau ainsi que l'apparition de taches blanches de la taille d'une pastille, notamment le long des membres. Cela peut causer des problèmes étant donné le type de vêtements que je porte... les vêtements brillants sont utiles, car ils cachent les pellicules! Il peut alors s'avérer difficile de souffrir d'une telle affection quand vous vous retrouvez dans l'œil du public. La belle star de la téléréalité, Kim Kardashian, et la chanteuse LeAnn Rimes ont toutes deux fait état de leur propre combat contre le psoriasis.

Au cours d'une visite de routine à l'hôpital de ma région, on m'a demandé de parler de ma maladie sur les ondes de la radio BBC Cornouailles. J'ai adoré avoir la chance de discuter du psoriasis avec le public — n'importe quoi pour aider les autres à mieux comprendre. Beaucoup de gens atteints de psoriasis éprouvent un manque de confiance en eux : cette affection peut être très débilitante et très embarrassante. J'ai personnellement trouvé de nombreuses façons de composer avec la maladie — l'humour en étant une — alors j'ai sauté sur l'occasion d'en parler ouvertement. Après l'entrevue, l'animateur m'a dit : «C'était génial, je peux voir que vous avez déjà fait ça auparavant...» Oui, cela m'était bien sûr arrivé, même si, généralement, je traite du paranormal... mais il semblait l'ignorer! Chut!

Pour plus d'information, vous pouvez visiter mon site Web à l'adresse suivante : www.jackynewcomb.com.

... SANS OUBLIER LES DROITS DES GAIS !

Peu de temps après, il y a eu une soirée où je suis restée debout assez tard afin d'écouter un ami parler sur les ondes d'une radio spécialisée dans le domaine du sport (TalkSPORT). Malheureusement, je me suis trompée quant à l'heure de son intervention et j'ai complètement raté le commentaire de mon ami. Curieusement, je suis tombée sur un segment de l'émission dédié aux droits des homosexuels. J'ai entendu un homme très désagréable et impoli suggérer que tous les homosexuels devraient être fusillés. J'étais hors de moi. Peut-il vraiment y avoir autant de gens ignorants dans le monde ? Je n'ai pu m'en empêcher et, pleine d'assurance, j'ai appelé à la station. Mon appel a été diffusé sur les ondes et, bien sûr, ma colère ne s'est pas fait sentir au téléphone — juste la voix de la raison ! Nous sommes tous égaux aux yeux de Dieu, n'est-ce pas ? Vivre et laisser vivre ! Nous, les humains, devrions nous montrer plus tolérants envers les différents styles de vie et préférences personnelles !

Ainsi donc, deux interviews inattendues à la radio... peut-être pas sur mes sujets de «prédilection», mais sur d'autres qui méritaient très certainement d'être débattus !

D'UN MAGAZINE À L'AUTRE

Lorsque nous vivions dans le Staffordshire, j'ai été présentée à quelques reprises dans le prestigieux magazine local, le *Staffordshire Life*. Naturellement, je tenais à faire la même chose avec le magazine du comté des Cornouailles, le

Cornwall Today, lorsque nous avons déménagé dans la région.

L'adorable Liz Norbury et le photographe Charles Frances sont venus à la maison pour réaliser une sorte de reportage «chez soi» qui mettrait également en vedette mon mari John. Question d'être bien préparés, mon mari et moi nous sommes précipités à notre centre de jardinage le plus près et avons rempli les pots de notre jardin avec des plantes en pleine floraison... juste au cas où des photos en plein air seraient nécessaires (une bonne excuse pour que nous ayons plus de fleurs, ai-je pensé). Le jardin était magnifique.

Une photo de dernière minute de moi tenant mon petit chat noir Magik a finalement été retenue par le magazine, de pair avec une autre photo de moi debout près de la porte d'entrée — à côté de toutes mes nouvelles fleurs (ouf, nos achats étaient finalement justifiés!). John est quant à lui apparu debout à côté de sa chère moto — le portrait était complet! Nous avons eu beaucoup de plaisir à participer à ce reportage malgré que, bien sûr, j'en ai toujours plus à dire que ce qu'un magazine peut se permettre de publier! Je peux en fait parler de mon sujet préféré pendant des heures, et j'adore offrir aux lecteurs l'occasion de voir comment une personne ordinaire peut avoir des intérêts extraordinaires!

UNE BLONDE INCENDIAIRE?

Une amie journaliste m'a téléphoné un jour pour me demander si j'accepterais de participer à un reportage de magazine sur mes cheveux. «Tu as complètement changé tes cheveux, n'est-ce pas Jacky?» m'a-t-elle demandé. Bien sûr que je les avais changés! J'étais autrefois une brune, et je suis désormais une blonde! (Vous pensiez que c'était naturel? Merci!)

J'ai rapidement trouvé quelques vieilles photos et j'en ai ensuite cherché quelques nouvelles. Personnellement, j'aime bien ces portraits «avant» et «après», alors j'ai supposé que c'était la même chose pour les lecteurs de ce magazine. J'espérais seulement qu'ils allaient préférer ma nouvelle apparence à l'ancienne! Quoi qu'il en soit, c'était génial de figurer dans un magazine prestigieux!

PRÊTES POUR LA PHOTO!

Puis en juin, il m'a semblé que j'avais une maison pleine de gens. Ma sœur Madeline (Richardson) et moi venions tout juste d'écrire un livre ensemble, alors nous avons décidé qu'il nous fallait réaliser quelques coups de publicité. J'aime bien avoir quelques belles photos en réserve, prêtes à servir pour n'importe quel article de magazine ou de journal qui se présenterait — parce que si vous n'en avez pas, la publication en question enverra son propre photographe. Trouvez-moi «hypercontrôlante», si vous voulez, mais je préfère encore choisir mes propres photos que d'attendre de voir les clichés qu'un photographe peut avoir pris de moi!

Nous avons recouru aux services d'un photographe des environs et il est venu chez moi pour prendre quelques photos, à la fois formelles et informelles. Il est arrivé avec beaucoup d'équipement — la toile de fond blanc était beaucoup trop grande pour être utilisée dans la chambre, mais un rideau de fenêtre blanc était néanmoins à notre disposition. Il a plutôt bien fonctionné, mais quand il a été mis en place, nous nous sommes rendu compte qu'on voyait à travers la porte qui se trouvait derrière. Je n'aurais pas dû sous-estimer la débrouillardise de notre photographe cependant, car il avait avec lui de nombreux éclairages et réflecteurs différents. Une fois les arrangements terminés, on ne voyait presque plus rien, à part une toile de fond blanche et translucide, exactement comme si nous avions posé en studio.

John a pris quelques photos « non officielles » avec la pièce remplie de lumière et de fils électriques — et nous avons certainement eu beaucoup de plaisir ! Après avoir pris des photos à l'intérieur, nous sommes passés au jardin où nous avons pris d'autres clichés avant de tout empiler à l'intérieur de deux voitures et de nous diriger vers les bois qui se trouvent à proximité. À l'heure qu'il était, la lumière du soleil filtrait désormais à travers les arbres ; l'ambiance était magique. Nous avons pris quelques photos de nous deux en train de regarder dans les airs. Comme les photos avaient un aspect très éthéré, nous les avons titrées « À la recherche des fées » (bien que nous n'en ayons trouvé aucune !). L'une de ces photos est par ailleurs affichée sur mon site Web. Je portais une robe bustier mais, sur la photo, on ne voit que mes épaules nues. Ma fille m'a téléphoné, indignée : « Maman ! On dirait que tu ne portes pas de vêtements ! », m'a-t-elle dit. Ça m'a bien fait rire !

Après quatre heures de photographie, nous étions toutes les deux épuisées, mais heureusement, John nous a concocté un savoureux sauté pour l'heure du thé. Je me sentais tellement fatiguée que je pouvais à peine soulever ma fourchette et, pour la première fois, j'ai vraiment admiré les mannequins professionnels pour leur capacité à effectuer ce travail à longueur de journée ! Ma sœur Madeline a passé la nuit à la maison car, le lendemain, quelqu'un venait filmer une vidéo de nous deux ensemble. Il s'agissait de promouvoir un autre livre que nous avions écrit ensemble. Le tournage en tant que tel n'a pas duré une heure, mais chacune avons pris plus d'une heure pour nous y préparer !

J'adore écrire, mais quand vous commencez à exercer cette activité, vous ne pensez pas vraiment à tout ce qui vient avec. Photos, promotions, séances d'autographe, entrevues, apparitions à la radio et à la télévision, conférences, ateliers et conception de sites Internet... heureusement, j'apprécie tout ça !

DES FANTÔMES JOUENT AU BILLARD

Parlant de séances d'autographe... J'ai passé un excellent moment à la librairie Walter Henry, à Bideford, dans le Devon. Comme d'habitude, j'ai rencontré des gens charmants, et nous étions de plus logés dans un adorable couette et café. C'était comme des mini-vacances. Notre chambre était très charmante et très belle, en plus d'être située au rez-de-chaussée de l'immeuble — une grande pièce lumineuse avec des portes-fenêtres qui donnaient directement sur le jardin.

Pour accéder à notre chambre, nous devions passer par une pièce qui contenait une table de billard pleine grandeur. Au milieu de la nuit, j'ai été réveillée par un très fort bruit de boules heurtées par une queue de billard. C'était vraiment bruyant, et pourtant, quand nous sommes allés y jeter un coup d'œil, il n'y avait personne dans la pièce. Les lumières étaient éteintes et une housse recouvrait même la table ! Je suis retournée au lit, mais le bruit d'une queue de billard frappant des boules a continué pendant environ quatre minutes... c'était vraiment effrayant !

Le lendemain matin, j'en ai parlé aux propriétaires, qui ont hoché la tête en guise de sympathie. Apparemment, au moment où ils avaient emménagé, ils avaient eux aussi été réveillés par ce bruit. Ils étaient descendus pour dire à leurs jeunes garçons d'arrêter de jouer au billard et de se remettre au lit, mais, tout comme moi, ils avaient trouvé une pièce vide, une housse bien en place sur la table... et les garçons endormis dans leur lit !

DEVENIR GRAND-MÈRE

La chose la plus excitante qui m'est arrivée cette année, c'est que je suis devenue grand-mère pour la première fois. Ma fille aînée a donné naissance à une belle petite fille le 1er janvier 2011... une date vraiment magique. Je ne peux pas vous dire son nom, j'en suis désolée (c'est un secret !), mais je peux vous dire qu'elle a de beaux grands yeux et qu'elle rit tout le temps. J'ai tellement hâte au jour où elle commencera à parler... Je me demande si elle se souvient de ses vies antérieures ou si elle aura quelques paroles de sagesse à nous transmettre. Ces jeunes sont si particuliers : ils tiennent tous d'un précieux miracle. Et vous savez, bien entendu, que je vous tiendrai au courant s'il y a quoi que ce soit de mystique avec cette enfant !

Deuxième partie

Tout sur les anges

*Les anges sont des esprits, mais ce n'est
pas parce qu'ils sont des esprits qu'ils sont des anges. Ils
deviennent des anges quand ils sont envoyés en mission.
En effet, le nom d'ange fait référence à leur fonction et non
à leur nature. Si vous voulez savoir le nom de leur nature,
ce sont des esprits ; si vous voulez savoir le nom de leur
fonction, ce sont des anges, ce qui signifie messager.*
Saint Augustin

Je réponds à vos questions

Les anges ne s'en font pas pour vous… Ils croient en vous.

ANONYME

Nous y sommes donc. Étudions maintenant tout ce qui se rapporte aux anges : le qui, le quoi, le quand et le pourquoi des anges gardiens ! Cette section s'adresse aux néophytes aussi bien qu'à ceux d'entre vous qui étudient le phénomène depuis plusieurs années. Je suis persuadée que vous en découvrirez un peu plus sur nos amis célestes dans les pages qui suivent.

Au fil des ans, j'ai écrit de nombreux livres et plusieurs histoires sur les anges (vous trouverez davantage d'information à ce sujet à la fin du livre). Les questions que les gens me posent sur les anges ont évolué et, dans certains cas, elles sont devenues très sophistiquées. Cela indique un intérêt croissant pour les choses spirituelles, mais aussi une meilleure connaissance du phénomène. J'ai pensé que ce serait fantastique d'inviter les abonnés de ma page Facebook à me poser leurs propres questions sur les anges, de sorte que je puisse y répondre ici pour vous.

Ils me sont arrivés avec des questions auxquelles je n'aurais jamais pensé… et j'ai bien aimé y répondre.

Qu'est-ce que signifie le mot « ange », et les anges vont-ils accompagner Jésus quand il reviendra ?

Commençons par le début. Le mot « ange » signifie *messager*. Les anges sont des agents ou des gardiens au service de Dieu (le Créateur), des êtres spirituels, mais non des âmes. Les anges sont des êtres de lumière. Ils sont mentionnés dans les Bibles hébraïque et chrétienne, ainsi que dans le Coran. D'autres textes religieux utilisent le mot « ange » (ou sa traduction) pour désigner un être spirituel. Les anges sont des intermédiaires entre Dieu et l'humanité : une sorte de « médiateur » si vous voulez !

Le mot « ange » peut parfois être utilisé pour référer à un messager d'origine humaine, bien que, dans le langage populaire moderne, le terme serait plutôt employé pour désigner un être humain décédé. De plus, « ange » est parfois utilisé pour décrire toute entité spirituelle, mais aussi humaine, dont la nature serait angélique (des gens spirituels et aimants, des personnes aidant les autres comme un ange le ferait). Du reste, pour Aristote, les anges seraient de « purs esprits contingents ».

La deuxième partie de la question donne plus de fil à retordre. Elle implique que nous supposions, ou croyions, que Jésus viendra sur Terre pour une deuxième fois. Comme Jésus est le Fils de Dieu, et que Dieu est, pour moi, un autre mot pour désigner notre Créateur, ma réponse est que tout dépendra de la volonté ou de l'intervention divine. Vous noterez par ailleurs que je me suis abstenue d'utiliser « lui » ou « elle » pour me référer à Dieu, car Dieu est une énergie créatrice plutôt qu'un être humain sexué (Dieu n'est donc ni mâle ni femelle).

D'où vient le mot « ange » ?

En latin, on utilise le mot *angelus*, et en grec, *angelos*. En vieux français, on utilisait autrefois le mot *angele*.

Est-ce que tout le monde a un ange gardien ? Avons-nous plus d'un ange gardien ?

Oui, tout le monde en a un ! Certains, en fonction de leur mission de vie, en auront plus d'un pour les assister et veiller sur eux. Les anges sont toujours avec nous ; ils n'attendent que d'être appelés pour nous aider, prendre soin de nous, nous guider et nous protéger.

Choisissent-ils les personnes sur qui ils veillent ?

Les anges sont affectés à une personne, ils ne la choisissent pas. Nous, les êtres humains, disposons du libre arbitre (liberté de choix), mais les anges, eux, n'en ont pas. Leur « volonté » est celle de Dieu.

Nous sont-ils apparentés ?

Pas si nous utilisons le mot « ange » dans le sens traditionnel du terme, c'est-à-dire « messager de Dieu ». Nos proches qui sont décédés (qu'ils aient été nos parents ou nos amis) peuvent également veiller sur nous (s'ils choisissent de le faire), et parfois, ils se considèrent même comme nos « anges gardiens ». Ils entendent par là que si nous nous sentons tristes ou solitaires, ils en sont conscients et se rapprochent ainsi de nous et de la Terre. De nos jours, beaucoup d'êtres humains sentent, entendent et ressentent leurs parents ou amis qui sont décédés. J'ai documenté plusieurs centaines de cas relatifs à ce phénomène.

Gardons-nous le même ange gardien d'une incarnation à l'autre ?

Encore une fois, cela dépend de la volonté de Dieu. Ces choses sont décidées par un « conseil des sages », ou « conseil divin », avant que nous nous incarnions sur Terre. Encore une fois, la réponse est « oui et non » parce que ce même groupe suit généralement l'ensemble de nos vies, mais parfois (en fonction de la vie que nous vivons et de ses défis), d'autres anges pourront venir nous aider : des « anges spécialistes » qui possèdent des compétences spécialisées ; de la même manière que, sur Terre, si vous voulez apprendre une langue étrangère, vous vous trouvez un enseignant doté d'une telle compétence (bien sûr, les talents sont variés de la même manière qu'ils le sont sur Terre. Le professeur de langue que vous cherchez ne sera probablement pas le même que celui qui vous apprendra à jouer du violon ou à surfer !).

Partageons-nous tous un ange ?

Parfois, surtout si nous et une autre personne avons des intérêts similaires. Dans le cas où ils poursuivent des objectifs communs, les anges peuvent être amenés à enseigner à des groupes ou à veiller sur plusieurs personnes en même temps.

Où nos anges vont-ils lorsqu'ils ne sont pas avec nous ? S'assoient-ils sur un nuage pour jouer de la harpe toute la journée ?

Cela n'arrive que sur les cartes de vœux ! Les anges ne « vont » nulle part ; ils « sont », c'est tout. Le temps ne pose aucun problème pour les anges, car il n'y a que sur Terre où le « temps » existe de façon linéaire (avec un début, un milieu et une fin). Partout ailleurs, tout se vit au « présent ». (Compliqué ? Oui, je sais ! Mais pour être honnête, la réponse à cette question prendrait probablement un livre à elle seule !)

Les anges peuvent-ils prendre une forme humaine et se fondre parmi nous ?

Ils peuvent le faire, mais ils ne le font généralement pas. Les anges existent sur une vibration plus subtile que celle des humains. Pensez à un nuage ou à la vapeur qui s'échappe d'une bouilloire — et imaginez-vous quelque chose d'encore plus subtil. Il est donc difficile pour eux de prendre une forme humaine mais, en cas d'urgence, ils peuvent le faire pour un très court laps de temps.

Les êtres humains ont vu des anges à plusieurs reprises. Ils apparaissent généralement dans les moments de grande détresse. En tant qu'êtres humains, nous sommes plus susceptibles de voir un ange d'apparence humaine lorsque notre conscience se trouve « altérée » (lors d'une période de sommeil ou de méditation, par exemple). Les anges peuvent parfois se manifester lors d'un accident ou lorsque survient la maladie — ils peuvent alors apparaître et disparaître en un instant.

Entrent-ils en contact avec nous de différentes façons, en fonction du «clair» qui est le plus prédominant?

Je comprends par là que le lecteur réfère aux différentes capacités psychiques : la clairvoyance (faculté paranormale qui a trait à la vision), la clairsentience (faculté de ressentir), la clairaudience (faculté d'entendre), etc. Oui, les anges entrent en contact avec les humains de différentes façons. Je vais en énumérer quelques-unes plus tard dans ce livre.

Les humains peuvent-ils devenir des anges?

Pas dans le sens traditionnel du terme. Mais si vous voulez dire «Est-ce que nos parents et amis décédés veillent sur nous à la manière des anges?», alors la réponse est assurément OUI! Ils peuvent le faire et ils le font.

En période de difficultés ou lorsqu'elles sont en danger, des personnes entendent parfois la voix d'un être cher décédé qui les interpelle en guise d'avertissement. Magique, n'est-ce pas?

Les anges ont-ils des pieds ou disparaissent-ils dans la brume ou un nuage?

C'est une question très intéressante. Les anges n'ont pas de corps comme les humains en ont un. Ils sont en fait des êtres de lumière, des êtres éthériques (subtils et aérés), et s'ils se manifestent à l'aide d'un «corps», ce n'est que pour nous rendre la chose plus facile. Par conséquent, lorsqu'ils apparaissent, ils ne montrent que ce qui est nécessaire afin que nous puissions les reconnaître (les « pieds » pourraient ne pas être nécessaires!), ce qui explique que toutes les parties du corps ne sont pas toujours visibles.

Comment les anges prennent-ils soin de leurs ailes? (Surtout quand ils laissent tomber un si grand nombre de plumes afin de laisser une trace?)

Cette question fait remarquablement suite à la dernière. Les anges se présentent parfois aux humains avec des ailes et des halos (ou de brillants auras de lumière) autour d'eux. Ils sont des êtres de lumière et n'ont pas de « vrais » corps au sens où on l'entend. Ainsi, les anges n'ont pas réellement besoin d'ailes pour voler; ils les manifestent afin que nous sachions qu'ils sont des anges.

Je répondrai à la question des plumes plus loin dans cet ouvrage.

Les anges restent-ils à nos côtés depuis le jour de notre naissance? Quand nous mourrons, notre ange gardien demeure-t-il notre ange gardien ou devient-il plutôt l'ange gardien d'un nouveau-né?

Les anges sont normalement avec nous, même avant notre naissance, et ils le demeurent après notre mort. Beaucoup de ceux qui vivent une expérience de mort imminente rencontrent effectivement leurs anges, lesquels paraissent venir les chercher pour les conduire au paradis. Par ailleurs, sachez qu'il est possible de rencontrer votre ange gardien en vous en remettant à une méditation guidée (je vous en dirai davantage plus loin dans cet ouvrage).

Demandez à votre ange d'apparaître dans vos propres méditations ou, si vous leur demandez gentiment, vos anges pourront même vous visiter en rêve. Le mien le fait à l'occasion — habituellement déguisé, mais porteur d'un message. Ils ne ressemblent pas aux anges « normaux » auxquels nous pensons, et ne se présentent certainement pas à nous avec des ailes. Dans mes rêves, les anges apparaissent comme de « petits rôles » jouant dans de petites pièces pour m'apprendre quelque chose. C'est en me réveillant que je me rends compte qu'ils étaient des anges !

Vont-ils vers quelqu'un d'autre quand nous mourons et qu'ils nous ont aidés à traverser de l'autre côté ?

Encore une fois, cela dépend vraiment du fait que nous ayons ou non besoin d'un gardien à ce moment précis. Les anges peuvent être à plus d'un endroit en même « temps » (le temps humain), donc si nous en avons besoin, ou que nous nous incarnons encore, ils peuvent se trouver de nouveau parmi nous.

Existe-t-il quelque chose comme un ange noir ou maléfique ?

La Bible parle des anges déchus, les anges qui se sont retournés contre Dieu. De nos jours, le mot « ange » est principalement utilisé pour désigner un être de lumière, les énergies bonnes et positives. Si des anges noirs existent encore, nous utiliserions probablement d'autres mots pour les décrire. Personnellement, je n'en ai jamais rencontré.

Puisque nous disposons du libre arbitre, à quel moment les anges peuvent-ils intervenir ?

Les anges préfèrent qu'on le leur demande. C'est plus facile pour eux si nous leur donnons la permission. Vous n'avez pas besoin de suivre des rituels compliqués (sauf si vous le souhaitez ou que vous appréciez ce genre de chose).

Lorsqu'il y a une urgence, il est naturel d'appeler à l'aide (bien que, souvent, nous ne savons pas vraiment qui ou ce que nous appelons). Les anges peuvent répondre à ces appels à l'aide, et quelques-uns des sauvetages les plus spectaculaires et assistances vitales semblent survenir lors de ces moments de grande détresse.

Vous pouvez demander à vos anges de vous aider pour n'importe quoi et à tout moment. N'oubliez pas, cependant, qu'il y a une raison pour laquelle les êtres humains disposent du libre arbitre. Il est important que nous essayions de résoudre nos propres problèmes afin d'apprendre et de grandir en tant qu'âmes. Pourquoi ne pas demander à votre ange de vous aider à faire le point sur une situation difficile plutôt que de résoudre tous les problèmes pour vous ? Responsabilisez-vous ! Si vous avez besoin d'aide, alors vous pouvez demander à votre ange d'envoyer quelqu'un pour vous aider à résoudre votre problème.

Devons-nous demander directement ?

Adressez vos demandes comme vous le voulez, du moment où vous vous sentez à l'aise. Vous préférez peut-être demander à Dieu d'envoyer directement un ange, ou simplement demander à vos anges de veiller sur vous et votre famille — une chose simple que vous pouvez faire tous les matins au petit déjeuner. Vous pouvez porter un bijou qui symbolise votre demande (une épingle ou une broche en forme d'ange, par exemple) ou écrire votre demande dans un petit carnet. Optez pour ce qui fonctionne bien pour vous plutôt que de trop vous soucier de bien faire les choses. Si votre intention est pure alors le message sera reçu.

... Ou vont-ils simplement intervenir si nous en avons réellement besoin ?

Oui, lorsqu'une urgence survient, ils sont toujours avec nous. Mais cela ne peut pas nuire de demander de l'aide malgré tout. Les anges nous arrivent avec toutes sortes de solutions ingénieuses ! Ils sont très débrouillards.

Comment fonctionnent-ils avec nous afin de ne pas affecter notre karma ?

Les anges n'auront jamais pour but d'affecter notre karma. Le concept de karma est d'origine bouddhiste et puise également dans l'orthodoxie brahmanique, mais l'idée du karma apparaît aussi dans le cadre d'autres religions (même si le mot karma n'est pas utilisé). Le karma est lié au comportement moral, et bien que la signification exacte varie légèrement d'une religion à l'autre, le karma se rapporte à notre comportement au sein du cercle de la vie, d'une relation de cause à effet.

Nous vivons pour tirer des leçons de l'école de la vie. Au cours du temps que nous passons «en classe», nous devons prendre soin de ne pas nuire aux autres et de ne pas les blesser, car cela crée un karma négatif que nous devons racheter, soit dans cette vie, soit dans l'autre. C'est là une explication très simpliste, bien sûr, mais pour construire un bon karma, nous devons travailler à aider les autres.

Pour chaque vie sur Terre, nous planifions nos leçons; les moments difficiles nous en apprennent parfois plus que les moments agréables. Chaque problème que nous surmontons, ou chaque situation que nous résolvons, est synonyme d'apprentissage pour l'âme. Si les anges interviennent trop (c'est-à-dire s'ils règlent tous nos petits problèmes), en tant qu'êtres humains, nous n'apprendrons rien!

Pourtant, les êtres humains se sentent parfois dépassés par les difficultés de la vie — même s'ils ne croient pas les avoir eux-mêmes choisies sur un autre plan! Les anges peuvent certainement alléger notre fardeau en marchant à nos côtés, comme le ferait un très bon ami. Les anges peuvent prêter une oreille attentive et nous tenir la main. Jusqu'à présent, cela interfère-t-il avec notre karma? J'en doute!

Un ange gardien peut-il devenir archange?

C'est une autre question à laquelle je répondrais par «tout dépend de la volonté de Dieu». Mais je ne vois pas, de prime abord, pourquoi il le deviendrait; bien que je ne me risquerais pas à dire *jamais*!

Un maître peut-il devenir un ange?

Un «maître ascensionné» est un être éveillé spirituellement, qui a évolué à partir d'une âme humaine normale. On dit de Jésus qu'il est un maître ascensionné. D'autres dont vous pourriez avoir entendu parler incluent Sanat Kumara, le Bouddha Maitreya, Confucius, Marie (la mère de Jésus), Kwan Yin, saint Germain, Kuthumi, et d'autres encore. Si Dieu en décidait ainsi, ils pourraient devenir des anges, mais il semble peu probable qu'une âme humaine se transforme (normalement) en être angélique. Nous avons notre propre chemin spirituel à suivre.

Comment puis-je faire en sorte que mes proches et mon ange gardien viennent à mon secours quand j'en ai le plus besoin?

La réponse est que votre ange est toujours autour de vous. Si vous en voulez la preuve, alors demandez-lui de vous faire signe... et demeurez alerte. En fait, les anges nous envoient de nombreux signes. J'en discuterai plus en détail au chapitre suivant.

Pourquoi les anges n'apparaissent-ils pas à tout le monde? Pourquoi n'y a-t-il que quelques personnes en mesure de les voir et de les sentir?

La plupart des gens ne voient pas les anges — pas lorsqu'ils sont conscients, de toute façon. C'est vraiment lié à la capacité limitée du corps humain de les percevoir. Nos yeux ne sont tout simplement pas en mesure d'observer une lumière qui vibre à une telle fréquence. Les anges communiquent néanmoins avec nous de toutes les manières possibles; cela se ait principalement à travers les signes, le toucher (la sensation de quelqu'un tenant votre main ou posant une main réconfortante sur votre épaule), ou encore en vous apportant de l'aide ou en vous aidant à résoudre un problème de façon « miraculeuse ». (Pour plus de détails, voir le chapitre suivant.)

De quoi les anges ont-ils l'air ?

Ils peuvent se présenter sous l'aspect qu'ils désirent, mais la plupart des gens, lors des rares occasions où ils voient des anges se manifester, me disent qu'ils apparaissent sous une forme humanoïde, sans véritable sexe (ni mâle ni femelle), et généralement drapés dans une sorte de tissu (enveloppés dans un vêtement), et entourés d'une lumière intense. Ils peuvent apparaître avec ou sans ailes et sont d'ordinaire très grands, bien qu'ils puissent parfois emprunter une taille humaine.

Signes en provenance de l'Au-delà

Familiarisez-vous avec les anges, car sans être vus,

ils sont présents avec vous.

SAINT FRANÇOIS DE SALES

Maintenant, penchons-nous sur quelques-uns des nombreux signes que les anges nous envoient afin que nous sachions qu'ils sont autour de nous. Si vous êtes familier avec leurs signes, vous serez moins susceptible de passer à côté. Au fil des ans, j'ai observé un tas de signes différents, et même si vous êtes familier avec certains, je suis sûre que vous en découvrirez ici quelques-uns, pour votre plus grand plaisir.

Vos parents et amis décédés (en agissant à leur manière comme des «anges gardiens») pourront utiliser exactement les mêmes signes pour vous montrer qu'ils veillent sur vous. Ces signes apportent un grand réconfort et beaucoup de joie chez tous ceux qui les reçoivent.

SIGNES DE LA PART DES ANGES

Plumes blanches

Un des signes que les anges utilisent le plus souvent pour faire connaître leur présence est la plume blanche. Je suis sûre que vous en avez déjà entendu parler ! Lorsque vous avez besoin d'être rassuré, demandez à votre ange qu'il vous laisse une plume. Au fil des ans, les gens m'ont raconté d'extraordinaires histoires de plumes d'ange qui se sont manifestées aux moments et aux endroits les plus insolites.

J'ai récemment déménagé et, depuis, les choses sont allées de mal en pis. Ma santé n'est pas très bonne, et ma petite fille a passé trois semaines à l'hôpital avec un bras cassé.

Tandis que je défaisais mes boîtes, une petite photo de mon grand-père est tombée par terre. En la ramassant, j'ai immédiatement senti un réconfort. J'ai dit : « Salut grand-papa, je t'aime », puis j'ai continué de vaquer à mes occupations. Environ une demi-heure plus tard, je suis revenue à l'endroit où j'avais trouvé la photo de mon grand-père et, à ma grande surprise, une grande plume blanche, magnifique, s'y trouvait. Je n'avais jamais trouvé de plume auparavant ; habituellement, ce sont des papillons que je vois lorsque je pense à mon grand-père. Mais cette fois, il a signalé sa présence (ou était-ce mon ange ?) d'une manière différente. — LISA

Une femme a vu une plume d'ange apparaître sur le toit d'un ascenseur ; une autre en a vu une apparaître quelques instants après avoir passé l'aspirateur dans la pièce d'une maison sans literie en duvet, alors que toutes les fenêtres étaient fermées. Une autre a encore soulevé une tasse et une soucoupe pour découvrir qu'une plume se nichait en dessous. Une autre femme a trouvé une plume (rose vif, cette fois!) à l'intérieur d'un sac en plastique scellé tandis qu'elle était au supermarché. Et la liste s'allonge encore et encore... Et vous, où trouverez-vous votre plume blanche?

Les plumes sont le signe angélique par excellence. Elles peuvent vous attendre sur le siège de votre voiture, ou se trouver entre les pages d'un livre. Les plumes d'ange peuvent être petites et moelleuses comme celles du plus petit des oisillons, ou grandes et incurvées comme celles d'un cygne. Elles sont de toutes les tailles, mais le plus souvent, la surprise réside dans leur aspect inattendu. Ne vous inquiétez pas si votre plume diffère de la variété habituelle de blanc — les plumes colorées ont des significations légèrement différentes, mais toutes veulent dire : « Nous sommes avec vous, nous veillons sur vous. »

Les plumes d'ange peuvent s'avérer un grand cadeau pour ceux qui se trouvent en difficulté. Les êtres chers décédés peuvent apporter une plume blanche comme cadeau à un parent en deuil. Conservez les plumes et distribuez-les aux amis dans le besoin. Elles élèvent l'âme immédiatement. Elles sont très simples, c'est vrai, mais les meilleurs cadeaux ne le sont-ils pas, de toute façon? Et si vous avez assez de chance pour trouver plusieurs plumes d'ange, pourquoi ne pas en transporter quelques-unes dans votre sac à main? Les anges vous montreront les personnes qui ont besoin d'un peu d'aide et de soutien. Vous aussi pouvez être un ange et partager ces signes d'amour avec les gens qui en ont besoin. Tendez-leur une plume, tranquillement et tout simplement.

Pendant que j'étais en vacances, je lisais un livre sur les anges. J'ai décidé de demander à mes propres anges qu'ils m'envoient un signe et, le jour suivant, j'ai aperçu une belle petite plume blanche qui descendait du ciel. J'ai réussi à l'attraper avant qu'elle ne touche le sol. Je ne m'étais pas vraiment rendu compte que sur la même rue, sur le côté opposé, se trouvait un petit resto-pub du nom de « Angel's Bar », dont l'enseigne affichait deux anges et chérubins. J'ai ramené une boîte à bijoux et une bougie sculptée, toutes deux angéliques, pour ajouter à ma collection, et j'ai déposé ma plume à l'intérieur de la boîte à bijoux sur mon étagère. — SARAH

Cloches et carillons

Après leur décès, mon père et mon oncle se sont mis à jouer les sonneurs régulièrement dans la maison — ils appuyaient sur la sonnette de la porte! Si on mentionnait leur nom, à des moments différents, ils nous alertaient tous deux de leur présence. Nous allions toujours vérifier à la porte, mais il n'y avait personne. À un moment donné, nous étions si préoccupés que l'un de nous allait vérifier à la fenêtre tandis que l'autre se précipitait à la porte! Nous nous demandions simplement si ce n'était pas des enfants qui s'amusaient à sonner à la porte. Nous n'en avons jamais vu un seul.

En esprit, j'entre régulièrement en contact avec mes proches. Pendant une messe en leur souvenir, à l'église, je

leur ai demandé de m'envoyer un signe évident de leur présence. Immédiatement, l'alarme d'incendie s'est déclenchée, et j'ai eu bien du mal à cacher mon sourire pendant le reste du service. — AMY

Au fil des ans, j'ai recueilli plusieurs histoires d'esprits et d'anges qui déclenchaient des alarmes et des détecteurs de fumée. Même si cela peut être un signe merveilleux en provenance de l'Au-delà, et de plus amusant... ce peut en retour être très ennuyeux. Si ce type de signes se produit en votre présence, et que cela vous rend mal à l'aise, alors demandez à vos anges d'arrêter et ils le feront. Personnellement, j'adore l'humour qui vient avec !

Il y a 12 ans, au petit matin, la sonnette de la porte d'entrée s'est fait entendre pendant un long moment. Le lendemain, on m'a appris que mon père était décédé. — ANITA

Des lumières qui clignotent

Ceci est un autre phénomène avec lequel je suis personnellement très familière. Habituellement, vous sentirez la présence d'un ange (souvent, un sentiment de grande paix accompagne le clignotement). Parfois, un autre type de signe se produira en même temps. Votre ange peut aussi être un parent ou un ami décédé qui tente de communiquer avec vous.

Je me suis déjà retrouvée dans un endroit où un esprit de la famille réussissait à faire clignoter les lumières à volonté, ce qui nous avait permis d'avoir une conversation où les clignotements exprimaient des « oui » et des « non » !

Je dois cependant admettre que ce peut être légèrement effrayant si on se trouve seul. Vous pouvez demander qu'un tel signe se produise, si vous le souhaitez vraiment, ou, comme avec tous les autres signes, demander d'arrêter si cela vous effraie.

Mon frère allume et éteint les lumières de ma cuisine ; c'est arrivé pour la première fois peu de temps après sa mort, après lui avoir demandé. Il n'a pas tout de suite répondu. Je me suis donc assise pour lire un livre et, 10 ou 15 minutes plus tard, une lumière s'est éteinte. Cela a continué pendant quelques semaines et c'était toujours la même lumière.

Puis, un soir, je lui ai dit : « D'accord, si c'est vraiment toi, pourquoi toujours la même lumière ? » Quelques minutes plus tard, c'était une autre lumière. Les gens disent que c'est un problème avec le câblage, mais cela se produit maintenant depuis près de trois ans, et quand ma mère et mon père viennent chez moi, les lumières s'allument et s'éteignent sans arrêt, comme si mon frère prenait acte de leur présence. Je sais que c'est lui. Personne ne me dira le contraire. — KAREN

Mécanismes

Je ne suis pas sûre de savoir comment nos anges arrivent à manipuler des mécanismes, mais ils le font. Un des premiers signes sur lesquels je suis tombée, au début de ma carrière, concernait des montres qui s'arrêtaient au moment précis où un être cher, ou l'individu qui la portait, décédait.

C'est le signe classique d'une conscience qui se poursuit après la mort.

Les versions les plus modernes concernent des boîtes à musique qui partent sans avoir été remontées, des horloges remontées sans la moindre intervention humaine et des étrangetés qui se passent avec des jouets pour enfants. Certaines personnes ont partagé leurs expériences de jouets qui parlent en réponse aux questions qu'ils ont posées... Je peux comprendre que cela ait pu être effrayant! Même si nous désirons obtenir un signe, un phénomène inexpliqué peut être assez saisissant lorsqu'on se trouve seul (ce qui explique pourquoi plusieurs de ces signes sont subtils). Au fur et à mesure qu'on s'habitue à être contacté de cette façon, cependant, je vous promets que ça devient moins effrayant... et que vous en demanderez de plus en plus.

Cette semaine, la porte de ma chambre s'est en quelque sorte verrouillée de l'intérieur. Il n'y avait pourtant personne dans la chambre. Mon mari a dû ouvrir la porte de l'extérieur avec un tournevis! Mes signes peuvent parfois être amusants... si ce n'est un peu ridicules!

Des mécanismes auxquels personne n'a touché pendant des années peuvent être ajustés, puis déclenchés par nos amis spirituels, alors soyez à l'affût de ce type d'expérience.

J'ai à la maison un globe musical mécanique de type angélique. Le lendemain où j'ai perdu mon fils de 21 ans, Shane, j'étais étendue sur le canapé et mon plus jeune fils était assis par terre avec un ami. Tout d'un coup, la musique s'est mise à jouer toute seule. Personne n'avait touché au globe. Nous nous sommes tous regardés et avons

demandé « Shane ? ». Je crois qu'il voulait nous dire que
tout allait bien et qu'il était bien arrivé à destination.
— FIONA

Les oiseaux

L'étendue des contacts que l'on peut avoir avec des oiseaux
en provenance de l'Au-delà est vaste : colibris dans un pays
et merles dans l'autre. Des oiseaux inhabituels (ou ceux que
préférait la personne décédée) peuvent apparaître sur commande, particulièrement si nous avons demandé qu'on nous
envoie un signe. Ces oiseaux s'avèrent très amicaux.

Après que mon père fut décédé, un oiseau s'est mis à
cogner contre la fenêtre alors que j'étais assise sur le
canapé ! Au début, je me suis demandé ce qui se passait !
Chaque jour, sans exception, l'oiseau venait me rendre
visite. — SHARON

Mon mari John a reçu la visite d'un oisillon la semaine dernière. Il est venu s'installer entre les essuie-glaces de sa voiture. Il a regardé à travers le pare-brise pendant très
longtemps et n'a pas paru effrayé du tout. C'était tellement
inattendu que j'ai saisi mon téléphone intelligent pour
prendre quelques photos du petit fanfaron.

Mon fils adoptif et moi sommes allés entretenir la tombe
de sa mère. Un rouge-gorge s'est posé en face de nous, sur
la plaque où était écrit son nom, et il y est resté pendant
toute l'heure qu'a duré notre visite. Il n'a pas bougé pen-
dant presque tout le temps où nous avons travaillé, puis,

vers la fin, il est allé se poser sur l'arbre à côté de nous. Lorsque nous lui avons demandé de retourner se poser sur la plaque, il l'a tout de suite fait ; c'était comme si la mère de mon fils nous avait dit bonjour. Nous avons ensuite donné des instructions à l'oiseau trois autres fois, et il a obéi à chaque fois. — LISA

Parmi les phénomènes rapportés sur les oiseaux, on compte les cas suivants : un oiseau sauvage qui entre dans une maison, un oiseau sautillant sur la table ou la chaise sur laquelle vous êtes assis, ou même un oiseau qui se pose sur la paume de votre main. Vous pourriez recevoir la visite d'un type d'oiseau particulier pendant plusieurs jours à la suite de la perte d'un être cher. Ils peuvent cogner contre la fenêtre, en guise de salutation, ou s'asseoir à côté de vous et vous tenir compagnie pendant que vous effectuez des travaux dans le jardin ou que vous lisez au parc.

Soyez attentif aux groupes d'oiseaux qui volent habituellement seuls, ou qui se montrent lors d'un anniversaire spécifique, comme pour dire : « Bonjour, nous n'oublions pas. » L'histoire suivante est particulièrement spéciale.

Ma grand-mère m'a dit que quand mon grand-père est mort, elle avait vu un merle sur une pierre tombale, près de sa tombe, lors de l'enterrement. Lorsqu'elle est morte à son tour, j'ai vu un merle sur la même pierre tombale pendant ses funérailles. Trois ans plus tard, ma mère est décédée, et pendant ses funérailles, mon père et moi avons vu trois merles assis ensemble au même endroit ! — TRACEY

Les papillons

Les papillons sont connus pour apparaître dans les corbillards et durant les veillées funèbres. J'en ai même déjà vu descendre jusque dans la tombe d'un être cher. Alors si vous perdez quelqu'un, prêtez attention aux papillons.

J'ai déjà travaillé au Parc Safari de Windsor, où ma tâche était « d'embuer » la maison des papillons. Un papillon se posait toujours sur mon épaule et, certains jours, il y restait toute la journée. Mais leur vie est tellement courte... j'ai ressenti un vide le jour où il n'était plus là.

J'ai cherché pendant plus d'une heure avant de le trouver, et j'ai pleuré pour le reste de la journée. Je l'ai enterré, mais je n'ai pu m'empêcher d'y penser tous les jours pendant une longue période. J'en ai même rêvé la veille du jour où j'ai appris que j'étais enceinte, et maintenant, j'ai trois tatouages de papillon − un pour chacun de mes enfants. Ce papillon ne s'est jamais plaint de mes larmes et m'a écoutée sans mépris, car la veille du jour où ce papillon a atterri sur mon épaule, mon grand-père est décédé... mais il a fallu trois jours avant que la nouvelle ne se rende jusqu'à moi. − NATASHA

J'aime particulièrement cette autre histoire, tout simplement amusante.

Ma mère a toujours dit, qu'après son décès, elle reviendrait comme un papillon pour veiller sur nous. Elle est morte en décembre, alors que toute la famille devait aller voir un spectacle de pantomime ensemble. Nous y sommes

tout de même allés, car nous ne voulions pas perturber les enfants davantage. Pendant le spectacle, toutes les fois où un acteur entrait en scène, il était accompagné d'un papillon (un vrai) ! L'auditoire en était mort de rire ; comme vous savez, décembre n'est pas vraiment le temps des papillons ! À ce jour, je persiste à croire que c'était maman qui n'avait pas voulu manquer la soirée qu'elle avait prévu passer avec nous. — MARYANN

Arcs-en-ciel

Nous sommes tous familiers avec ce cadeau des plus resplendissants et qui ne manque jamais de nous enchanter. Un arc-en-ciel est un arc de bandes concentriques aux couleurs du spectre visible. Il est créé par la réfraction et la réflexion des rayons du soleil dans les gouttes d'eau (gouttes de pluie, brume ou brouillard, par exemple — vous pouvez d'ailleurs obtenir un effet similaire en utilisant un boyau d'arrosage dans le jardin par une journée ensoleillée, ou en admirant une cascade d'eau en étant dos au soleil).

Un arc-en-ciel montre un spectre continu de couleurs, mais les couleurs que nous voyons ne sont toujours que les sept couleurs identifiées par Isaac Newton (rouge, orange, jaune, vert, bleu, indigo et violet). Les arcs-en-ciel présentent des intervalles entre les couleurs (elles ne sont pas espacées régulièrement) où d'autres couleurs existent... des couleurs que nos yeux humains sont incapables de percevoir ! Fascinant, non ?

Les doubles arcs-en-ciel sont rares et sont causés par un phénomène de double réflexion. L'espace qui existe entre les deux arcs est appelé « bande d'Alexandre » en l'honneur du savant Alexandre d'Aphrodise, le premier à avoir décrit le phénomène. Le deuxième arc-en-ciel a une séquence de couleurs inversée (les couleurs y sont à l'inverse du premier.) L'air en dessous de l'arc-en-ciel est presque toujours plus lumineux que l'air qui se trouve au-dessus. Mais en plus de leur intérêt scientifique, les arcs-en-ciel sont absolument magiques et réellement associés à l'Au-delà et aux expériences angéliques.

Lundi soir dernier, mes deux étudiants saoudiens et moi avons vu un arc-en-ciel dans le jardin qui était à l'envers. Cela a duré au moins 20 à 30 minutes, et cet arc-en-ciel était certainement plus brillant que la normale. Sans compter qu'il n'avait pas plu ce jour-là... En cherchant sur Google, nous avons découvert qu'ils sont très rares au Royaume-Uni et qu'on ne les aperçoit généralement que dans l'Arctique. Avons-nous été chanceux à ce point ?
— CAROL

Les arcs-en-ciel de ce type sont connus en tant « qu'arc circumzénithal » et, pour être vus, il ne doit y avoir dans le ciel ni pluie ni nuages de basse altitude. La lumière du soleil doit briller sous un certain angle et à travers un type de nuage vaporeux (à une hauteur d'environ 6 500 mètres) pour que le phénomène se produise.

J'ai moi-même, une fois, été témoin d'une rare version circulaire de ce type « d'arc-en-ciel », laquelle ne correspond finalement pas du tout à un arc. La bande de couleurs circulaire est apparue dans le ciel, au-dessus de notre voiture, et j'ai même réussi à obtenir une photographie de ce phénomène absolument magique. Ce spectacle rare est aussi appelé «chien du soleil» et il se produit lorsque le soleil est bas et que ses rayons se mêlent à la vapeur des cristaux de glace présents dans l'atmosphère; c'est ce qui crée l'effet de halo. Le spectacle était vraiment à couper le souffle! Mais bien sûr, tous les arcs-en-ciel sont des miracles et ils constituent de magnifiques signes tombés du ciel.

Le matin de l'enterrement de mon père, un bel arc-en-ciel lumineux est apparu juste au-dessus du bungalow où mes parents vivaient. Toute la famille l'a vu et ça nous a vraiment paru comme un vrai signe en provenance de l'Au-delà.

Le mois dernier, j'ai visité la tombe de ma mère avec un ami. J'ai demandé à mon ami d'être attentif aux arcs-en-ciel, car c'est souvent un signe pour moi. Comme de fait, ce jour-là, un arc-en-ciel comme il n'en avait jamais vu est apparu dans le ciel… Je savais que ça allait arriver.

— HEV

Les téléphones

L'un des premiers signes que mon père nous a envoyés après sa mort a été de faire sonner deux téléphones cellulaires qui étaient pourtant éteints. À une autre occasion, après que ma nièce eut gagné un prix pour son travail au collège de notre localité, le téléphone cellulaire de ma sœur a sonné pour annoncer l'arrivée d'un message texte (avec un petit «1» à l'appui à côté de «boîte de réception»). Rien d'extraordinaire là-dedans, me direz-vous... sauf que mon père était décédé depuis plus de trois ans quand il a «envoyé» le message.

D'ailleurs, il n'y avait pas de message à proprement parler, mais le fait que le téléphone nous ait rappelé sa photo, qui était encore dans le téléphone, était plus que suffisant pour nous! Cela ne fait que montrer à quel point nos proches continuent de veiller sur nous depuis l'Au-delà, qu'ils s'intéressent à ce que nous devenons. Encore cette semaine, à une séance d'autographe, une charmante femme est venue vers moi pour que je dédicace son livre. Elle m'a raconté qu'un parent avait téléphoné (alors qu'elle était tout à fait réveillée) pour lui dire : «Je suis OK. Ne t'inquiète pas pour moi». Incroyable, n'est-ce pas?

Parfois, ils ont aussi recours à l'humour.

À l'enterrement de maman, tous les yeux étaient humides après avoir lu le poème que j'avais écrit pour elle; même le prêtre avait les larmes aux yeux. C'est alors que, tandis qu'on priait tous en silence, le cellulaire de mon amie s'est mis à sonner. Je ne pouvais pas croire qu'elle avait oublié de l'éteindre. Mais curieusement, la sonnerie de son téléphone était la chanson Spirit in the Sky! *Ce n'était pas drôle à l'époque, mais on en rit encore aujourd'hui.*

— ELEANOR

Parfois, un téléphone de la maison sonne dans la nuit alors que personne n'est à l'autre bout du fil. L'appel coïncide généralement avec un anniversaire en particulier, ou il peut annoncer le décès de quelqu'un, ou encore souligner l'anniversaire d'un décès. L'appel téléphonique peut aussi faire partie d'un rêve où un être aimé appelle pour vous signaler qu'il s'est bien rendu jusqu'au ciel. Ces visites sous forme de rêve sont toujours limpides et pénétrantes, et le rêveur se trouve toujours pleinement lucide et conscient.

Un Noël, j'ai dû acheter un nouveau téléphone cellulaire parce que l'écran s'était brisé sur le mien. J'ai parcouru plusieurs villes pour trouver un téléphone jusqu'à ce que j'en trouve un qui m'attire. Je l'ai acheté et j'ai chargé la batterie.

La première fois que je l'ai allumé, j'ai reçu un message texte, mais je n'avais pas donné le numéro à quiconque... et j'ignorais même jusqu'à mon nouveau numéro! Je pensais que c'était juste un message de bienvenue ou de publicité de la part de l'opérateur, mais quand je l'ai lu, j'ai été vraiment surprise. Ça disait : «Joyeux Noël et beaucoup d'amour, John et Tzar!» John est mon âme sœur bien-aimée, au ciel, et son compagnon céleste s'appelle Tzar! Coïncidence? J'en doute! — **KAREN**

Choses déplacées, qui apparaissent ou disparaissent

Un autre signe qui est assez répandu a le potentiel d'être dérangeant et drôle à la fois. De petits objets (bijoux, cristaux, etc.) peuvent apparaître et disparaître. Parfois, l'objet peut ne pas avoir été vu depuis très longtemps quand, soudain, on le heurte en passant l'aspirateur sur le tapis. C'est toujours magique quand quelque chose de spécial nous arrive, et l'expérience suivante en fait foi.

Ma grand-mère avait pour habitude de brûler des bougies quand elle était vivante. Un jour, après sa mort, j'ai humé l'odeur des bougies qu'elle gardait dans sa chambre. En fouillant ses tiroirs, j'ai découvert une lettre qu'elle avait écrite à ma mère. Le plus drôle, c'est que j'avais été dans sa chambre un certain nombre de fois depuis qu'elle était morte, et je ne me rappelle pas avoir vu cette lettre auparavant. — TRACEY

Des photographies et des objets ayant appartenu au défunt peuvent se déplacer ou se renverser. Les photos d'êtres chers ont l'habitude de se déplacer de l'avant vers l'arrière d'une étagère, et vice versa, ou de se retourner pour faire face au mur, quand elles ne tombent pas carrément par terre!

Ma sœur a trouvé une photo de ma mère sur le plancher du salon peu de temps après son décès, en novembre! À peu près au même moment, mon autre sœur a découvert un message écrit dans la buée de la fenêtre de sa chambre. Pour ma part, maman m'a rendu visite dans un rêve qui m'a semblé très réel. Elle essayait vraiment d'entrer en contact avec nous. — CLARE

Voici une autre expérience hallucinante que m'a rapportée Eleanor.

Mon amie et moi prenions un café près d'un an après le décès de maman. Nous étions en train de bavarder, de refaire le monde, quand nous avons entendu un énorme fracas. Au même moment, le téléphone était en train de sonner. J'ai répondu et les nouvelles étaient vraiment mauvaises : mon petit neveu était mort. Après avoir raccroché, je suis allée voir ce qui avait causé tant de bruit. Le portrait de ma mère, qui était accroché au mur à l'étage, était tombé et il avait volé en éclats. Le plus étrange, c'est que le crochet qui le soutenait au mur était toujours en place, et qu'aucune porte ou fenêtre n'avait été ouverte. La seule explication, c'est que maman avait voulu, à sa manière, nous avertir de la mauvaise nouvelle.

— ELEANOR

Je pense que parfois, avec du recul, des expériences aussi tragiques peuvent prendre un deuxième sens : c'est une façon de nous rappeler que la vie est éternelle. Dans ce cas-ci, la mère d'Eleanor tenait à rassurer la famille : « Sachez que je suis ici pour m'occuper du bébé. Ne vous inquiétez pas, il est en sécurité avec moi. »

Finalement, cette dernière expérience est vraiment bizarre et a créé beaucoup de confusion, comme l'explique Eleanor.

Un jour, mon amie et moi avons décidé d'aller courir les magasins de notre localité. Nous nous sommes absentées pendant des heures et, quand nous sommes rentrées, j'ai trouvé mon pain (que je garde toujours dans ma huche à pain, dans la cuisine) sur une marche du vestibule ! C'était si étrange que nous nous sommes toutes deux demandé comment le pain avait pu atterrir là tout seul. Nous en étions encore à nous poser la question quand le téléphone s'est mis à sonner. J'ai répondu et une femme a demandé si elle pouvait parler à Alice. Eh bien, Alice est le nom de ma

mère décédée, alors j'ai dit à la femme qu'elle devait se
tromper ; personne chez moi ne s'appelait Alice. La femme
a insisté : « Oui, a-t-elle dit, je viens de recevoir un appel
de votre numéro et une femme du nom d'Alice m'a dit
qu'elle était enfermée dans la maison ! » Apparemment,
cette Alice semblait très angoissée. Nous étions complète-
ment déroutées. Je me suis toujours demandé si ce n'était
pas ma mère qui était venue nous visiter. » — ELEANOR

Les miroirs

Ma sœur a vu papa dans le miroir à plus d'une occasion.
Cette forme de communication m'effraie un peu et je
me fais un devoir de ne pas regarder dans le miroir si je me
réveille la nuit pour aller à la salle de bain... juste au cas !

C'est une tradition dans certains pays, pendant les
veillées funèbres, de recouvrir les miroirs de la maison qui
appartenait au défunt (ou de l'endroit où se tient la veillée)
de peur que l'âme n'y reste coincée ! Dans certaines cultures,
on va même jusqu'à recouvrir toutes les surfaces réfléchis-
santes. On se demande bien d'où ces coutumes peuvent
venir, n'est-ce pas ? Peut-être que dans un passé lointain, un
pauvre esprit est apparu dans un miroir pour assurer
un être cher qu'ils étaient en sécurité...

J'ai posté une demande sur les réseaux sociaux pour
voir si l'un de mes amis ne serait pas déjà entré en contact
avec l'Au-delà par l'intermédiaire des miroirs ou des ordi-
nateurs. La réponse suivante m'a tout de suite été envoyée —
étrange coïncidence... ou en était-ce vraiment une ? !

Mon ordinateur venait juste de s'éteindre et mon mari m'a
appelée à la seconde même pour me demander quel miroir

*je voulais pour notre salle de bain... Ooooh, j'en ai encore
la chair de poule !* — LISA

Parfums de fleurs magnifiques

Les anges apparaissent souvent sur un nuage de parfum.
De fortes odeurs de fleurs et de vanille leur sont communé-
ment associées. Ces odeurs peuvent être particulièrement
puissantes après un décès et lors des funérailles (surtout s'il
n'y a pas de fleurs dans la pièce ou la maison où vous vous
trouvez à ce moment-là).

*La tante de mon mari est morte et c'est elle qui l'avait pra-
tiquement élevé. Et puis, un jour, nous étions assis tranquillement, quand j'ai été submergée par un parfum de
fleurs. J'ai dit à mon mari : « Viens ici. Vite. » Ses yeux
sont devenus pleins d'eau. Il m'a dit que c'était le parfum
des fleurs préférées de sa tante.*

*Quelques jours plus tard, le matin, alors qu'il venait
de sortir de la douche, il est monté dans la chambre à coucher et il a été envahi une autre fois par cette odeur. Il a
demandé, à haute voix : « Tante, c'est toi ? » Et les lumières
se sont allumées et éteintes à deux reprises. C'était beau à
voir.* — JOANNE

Occasionnellement, les gens peuvent recevoir des odeurs
associées à des personnes décédées qui ne sont « pas très
agréables »... des odeurs de cigarettes et de tabac ! Papa
avait l'habitude de fumer beaucoup dans ses jeunes années ;
plus tard, alors qu'il avait supposément arrêté, il transpor-
tait des bonbons à la menthe dans sa poche pour couvrir

l'odeur de ses délits occasionnels. Après sa mort, ma fille a perçu une forte odeur de cigarettes et de bonbons à la menthe en même temps. Elle était à l'étranger à l'époque, et moi, j'étais à la maison — triste et terriblement désolée. Elle a su instinctivement que c'était un signe et elle m'a envoyé un message texte depuis son téléphone cellulaire! Ça m'a vraiment remonté le moral. Voici maintenant une autre histoire.

Une fois, il m'est venu une odeur de menthe et j'ai tout de suite pensé à ma cousine, Susan, qui était très malade à l'époque... 20 minutes plus tard, j'ai reçu un appel téléphonique qui m'apprenait que Susan était décédée. Je me souviens de l'odeur de menthe qui régnait dans la maison de ma cousine, car elle aimait cuisiner avec cette herbe en particulier. — TERESA

Les anges et la musique

Les anges composent effectivement leur propre musique. Le son du chœur céleste est l'un des plus beaux sons que vous entendrez dans votre vie. Imaginez les magnifiques harpes et les voix en parfaite harmonie. Le son vous transporte, vous procure même des sensations. Vous êtes entouré d'un sentiment d'amour et de paix complet et inconditionnel... magique. Quand vous en faites l'expérience, vous ne l'oubliez jamais.

Il y a trois ans, mon mari travaillait à l'étranger, au Danemark. Son entreprise traversait une période difficile, si bien qu'elle a annoncé des licenciements par la poste. Malheureusement, j'ai dû ouvrir la lettre et annoncer à mon mari au téléphone qu'il avait été licencié. C'était un moment éprouvant pour moi, en plus de lui qui était loin, j'étais très contrariée.

Tandis que j'étais plongée dans le désarroi, j'ai entendu une musique, une sorte de fanfare. Le son était fort et clair. Il m'a rendue très calme. J'ai alors su que tout irait bien. Mon mari et ses collègues sont rentrés à la maison en avion, pour ensuite être informés qu'il y avait eu une erreur : ils étaient tous épargnés et allaient garder leur emploi. — BECKIE

J'ai aussi beaucoup aimé l'expérience suivante. La musique, comme la couleur et les sons, n'est qu'une autre vibration. Avez-vous besoin de l'entendre pour en faire l'expérience ? Peut-être pas !

Je n'ai pas vraiment entendu de la musique d'anges, mais je l'ai sentie. Je sais que cela semble étrange ! C'est arrivé un jour où j'étais vraiment contrariée. Je m'enfonçais un peu plus dans ma misère, lorsque je me suis sentie submergée par des vibrations qui ont mis fin à mes larmes. C'était comme si un millier de belles voix étaient passées à travers moi… et le plus étrange, c'est que je n'ai rien entendu. Mais j'ai su que tout irait bien et que j'étais en sécurité. Cela paraît bizarre, mais c'était tellement réel.
— JOANNE

Frappements, cognements et phénomènes similaires

À mon avis, ce genre de phénomène est sans doute le plus effrayant de tous, et il est souvent associé aux fantômes, ainsi qu'aux anges et aux êtres chers décédés! Bien que plusieurs réclament des signes évidents, quand ceux-ci se produisent, le résultat peut être un peu plus que sinistre! Les cognements sur les murs et les fenêtres sont considérés comme un avertissement ou un préavis qu'un défunt envoie lorsqu'il arrive dans l'Au-delà. Les défunts génèrent souvent ce type de phénomène simplement pour transmettre leurs salutations à partir du ciel.

Quand mon frère est mort, on a cogné aux fenêtres. Il n'y a pas autant de cognements maintenant [parce que nous pensons] qu'il est trop occupé là où il est. — TARA

Un autre phénomène qui s'inscrit dans cette catégorie comprend le fait d'être réveillé à cause d'un lit agité par des secousses ou, au réveil, de s'apercevoir que les couvertures ont été enlevées! Maintenant, je sais que ce n'est pas le genre de signe que *je* voudrais recevoir. Parfois, cependant, ce genre de chose peut être drôle, ou tout simplement réconfortant. L'histoire qui suit l'illustre très bien.

Ma sœur aurait souhaité que mon grand-père assiste à son mariage; alors qu'elle marchait dans l'allée, elle a déclaré : « J'aurais aimé qu'il soit là. » Au moment où elle est arrivée à l'autel, la porte derrière le registraire s'est grand ouverte! Ma sœur, ma mère et moi étions mortes de

rire. On aurait dit que grand-papa s'était présenté à l'église après tout ! — NATASHA

Les pièces de monnaie

Il y a une chanson qui s'intitule *Pennies From Heaven* [Des sous tombés du ciel], et c'est bien vrai. Nos anges nous apportent de petits cadeaux de l'Au-delà sous forme de sous et autre menue monnaie. Parfois, ils nous laissent des pièces de monnaie comme un signe tangible de leur passage parmi nous, pour nous dire qu'ils sont là pour nous protéger et nous réconforter.

J'ai dû laisser ma lapine chez le vétérinaire pour une chirurgie et j'étais complètement bouleversée. J'ai demandé aux anges de prendre soin d'elle. Quand je suis sortie de ma voiture, dans le stationnement du vétérinaire, j'ai trouvé une pièce de monnaie juste à côté de mes pieds. Je l'ai perçue comme un signe et je me suis sentie beaucoup plus calme — et ma lapine a survécu à sa chirurgie. — CORINNE

Pour une raison quelconque, mes anges m'apportent de petites pièces de cinq sous en argent plutôt que des sous noirs ! Les pièces de cinq sous seraient des cadeaux de la part de l'archange Michael ! Il semble que je ne suis pas la seule à en recevoir.

Mes magnifiques anges me laissent des pièces de cinq sous partout. J'en reçois beaucoup... et dans les endroits les plus étranges ! — JOANNE

Les rêves

Une des façons les plus puissantes qu'utilisent les anges pour communiquer avec nous est le rêve. L'ange peut se manifester comme un simple visage au milieu d'une lumière éclatante, ou vous pourriez le voir revêtir une forme humaine, de plein pied, en face de vous. Vous savez peut-être que vous êtes endormi, mais en même temps, vous demeurez pleinement conscient... ou peut-être est-ce simplement que vous vous endormez ou que vous êtes sur le point de vous réveiller.

Votre ange peut être votre gardien, ou encore un parent décédé. Les deux peuvent utiliser cette façon particulière de se manifester dans notre monde.

J'ai fait un rêve où mon oncle était avec moi. Nous étions en auto et je roulais sur une route de campagne avec des couleurs extrêmement vives aux arbres et sur l'herbe. Je pouvais le constater même si le paysage défilait très rapidement. Mon oncle m'a alors dit : « Bravo pour avoir passé ton test, ma puce », et il a souri. Le fait est que, dans mon rêve, je savais qu'il était mort.

Puis la voiture s'est arrêtée et il en est sorti. J'ai voulu le suivre, mais il m'a dit que je ne pouvais pas. Il a disparu dans une lumière vive et je me suis réveillée. Je n'avais pas vraiment passé mon test quand j'ai fait le rêve, car il était prévu pour le lendemain matin. Mais mon oncle avait raison : je l'ai réussi ! — LISA

Lumière et clignotements

Ce ne sont pas tous les anges qui apparaissent sous une forme pleinement humaine. Aussi, il peut être facile de ne pas remarquer le clignotement ou le scintillement d'une lumière lorsque vous avez besoin d'un peu de réconfort. Les lumières peuvent apparaître comme un chatoiement parmi les rayons du soleil... un beau signe, en effet!

Je vois toujours des lumières bleues dans ma chambre. Mais j'ai commencé à en voir davantage et plus souvent quand j'étais enceinte. Maintenant que mon bébé est né, je trouve cela très réconfortant, et je crois que c'est un signe que mes grands-parents et les anges veillent sur ma famille. — KIM

Les voix

Une fois, j'ai été réveillée avec le mot «test» qui était prononcé très fort dans mon oreille! Ça me fait encore rire quand j'y pense aujourd'hui. J'étais tout excitée à l'époque parce que je croyais que mes anges allaient dorénavant utiliser cette méthode pour communiquer avec moi... mais ça n'a pas été le cas! Ha, ha! Une autre fois (des années plus tard), j'ai été de nouveau réveillée par le son d'une voix, et cette fois, on a prononcé mon nom.

Mon fils Shane était un farceur; s'il me voyait en ville, il se faufilait derrière moi et me faisait sursauter, ou bien il posait ses mains sur mes yeux pour que je devine qui c'était. Peu de temps après son décès, j'étais allongée dans le lit, sur le point de m'endormir, quand tout d'un coup,

j'ai entendu un fort murmure tout près de mon oreille :
« Bouh ! » Eh bien, je vous le dis, j'ai littéralement sauté
hors du lit ! — FIONA

Les anges et les proches décédés se serviront principalement de ce moyen de communication dans les cas d'urgence. Je crois que c'est pour eux une des formes de contact les plus difficiles à réaliser. Ils le gardent donc pour les moments où nous sommes en danger, le plus souvent lors de la conduite automobile. Beaucoup de mes lecteurs m'ont écrit pour me dire qu'ils avaient entendu une voix leur dire d'arrêter, de ralentir ou, comme ça m'est personnellement arrivé, qu'ils avaient entendu prononcer leur nom — ce qui les avait réveillés à temps pour les protéger contre l'imminence d'un danger !

TOUCHÉ PAR UN ANGE

Bien qu'il soit difficile pour les anges de se manifester physiquement dans notre monde, ils peuvent parfois, dans les moments difficiles, simuler le poids d'une main tenant la vôtre ou d'un bras réconfortant posé en travers de vos épaules. Étrangement, cela arrive souvent quand on rêve éveillé ; ainsi, c'est lorsque vous exécutez des tâches ennuyeuses que vous êtes le plus susceptible d'expérimenter ce phénomène.

Il m'est arrivé d'être touchée par une main... ou peut-être
devrais-je dire qu'une main a essayé de s'accrocher à moi,
mais qu'elle a glissé (même si je ne pouvais pas voir
quoi que ce soit). Le lendemain, j'ai su qu'un de mes amis

avait été tué à l'heure exacte où l'expérience s'était produite. — SHAYNA

DES SIGNES À TRAVERS LES BÉBÉS ET LES ENFANTS

Les enfants et les nourrissons nous apportent souvent des signes selon lesquels un être cher ou un ange serait aux alentours. N'avez-vous jamais vu les bébés sourire et rire à « personne » en particulier ? Les tout-petits vous montreront un ange, même s'ils parviennent difficilement à le décrire. Ils vous diront, par exemple, que grand-maman est venue leur dire au revoir lorsqu'ils dormaient la veille.

Les jeunes pourront régulièrement entrer en contact avec les membres décédés de la famille, même s'ils ne les ont jamais rencontrés de leur vie. Les arrière-grands-parents semblent impatients de venir sur Terre pour rencontrer les derniers venus de leur descendance. Si ce phénomène vous intéresse, vous trouverez des histoires comme celles-ci dans mon livre *Angel Kids*. Il semblerait que tous les amis « imaginaires » ne soient pas fictifs !

Je gardais ma petite-fille, alors âgée d'environ 18 mois, et son jouet parlant et chantant « Barney le dinosaure » n'arrêtait pas de se mettre en marche. Quand ce n'était pas son dinosaure, alors c'était sa « balle-mélodie » qui faisait des siennes ! Elle dormait pourtant à poings fermés. À l'époque, elle avait commencé à parler à un ami imaginaire, ainsi qu'à un vieil homme ! — SUSAN

Les téléviseurs

Si vous vous êtes déjà demandé qui jouait avec la télécommande ou qui avait réglé l'enregistrement sur la mauvaise chaîne, vous pourriez devoir regarder plus loin que votre environnement familial. Les anges aiment nous faire signe à travers la télévision, même s'il peut être un peu effrayant d'entrer dans une pièce et de voir la télé se mettre en marche toute seule! Eh oui, ça aussi je l'ai déjà expérimenté!

Mon téléviseur s'est allumé de lui-même en pleine nuit avec les mots « Joyeux anniversaire » et des ballons sur fond d'écran jaune. C'était il y a environ deux semaines après mon anniversaire, et mon frère est décédé le jour de mon anniversaire... de cette année! Je sais que c'était un message pour témoigner de ce qui s'était passé. Quand je suis allée chercher ma caméra pour prendre une photo, le poste s'est éteint. — KELLY

Les radios et autres lecteurs de musique

Lorsque vous vous sentez triste, les esprits aiment vous faire jouer «leur chanson» à la radio. Cette chanson spéciale, qui représente tellement de choses pour vous et le défunt, peut jouer dans un magasin dans lequel vous venez d'entrer, ou bien se mettre soudainement à jouer à la radio. La mélodie peut être si vieille que vous ne l'entendez plus jouer à la radio, pourtant, si vous avez besoin de l'entendre, cette chanson se mettra à jouer au moment où vous êtes prêt pour un tel réconfort.

Le volume peut inopinément augmenter ou diminuer afin d'attirer votre attention, ou une chanson particulière peut être en train de jouer quand, tout à coup, elle est interrompue pour laisser place à une autre qui est plus adaptée à vos sentiments.

Le conjoint de mon amie est mort à 29 ans, de façon inattendue et traumatisante. Un an plus tard, elle se demandait toujours comment elle arriverait à tourner la page et à refaire sa vie avec quelqu'un d'autre. Elle était convaincue que ses rêves de maternité et de vie conjugale s'étaient envolés en fumée.

On en discutait alors qu'on se préparait à aller au restaurant. Tout d'un coup, et tout à fait par hasard, son iPod s'est mis à jouer une des chansons que son conjoint aimait le plus entendre quand ils faisaient la fête! Je suis heureuse de vous annoncer qu'elle a maintenant rencontré quelqu'un et qu'elle se remet (quoique lentement) de cette terrible épreuve. — ANONYME

Des affiches, publicités et messages imprimés

Je me souviens avoir un jour demandé à mes anges de me faire un signe alors que je conduisais. J'étais en train de ressasser ma question quand je suis arrivée au sommet d'une colline. Il y avait en face de moi une affiche publicitaire géante avec le mot «OUI» écrit dessus en lettres majuscules. Mes anges venaient de me répondre on ne peut plus clairement! Une de mes amis, également une auteure, a elle aussi vécu une expérience similaire.

La nuit où j'ai abandonné mon emploi pour me consacrer uniquement à l'écriture, le bus dans lequel je me trouvais est passé devant une affiche de six mètres de haut qui disait : «AYEZ LA FOI». Ça m'a fait sourire!

— JANE

Essayez ceci : demandez à vos anges de vous envoyer un signe par le biais d'une affiche ou d'une publicité. Prenez ensuite un magazine et une image vous enverra un message, ou peut-être que, comme moi, votre signe se retrouvera plutôt dans une publicité... parfois, vous pouvez être en train de lire un passage dans un livre ou un magazine quand certains mots vous sautent aux yeux. Votre instinct ou un fort sentiment d'excitation se manifeste dans le creux de votre estomac quand votre signe se présente. Vous saurez, par la façon dont vous vous sentez, que c'est votre signe!

Prêtez attention aux autocollants apposés sur les pare-chocs des voitures, et même aux plaques d'immatriculation; vous pourriez également y trouver votre signe.

Nuages, bulles, etc.

Vous êtes-vous déjà allongé dans un champ par une belle journée d'été pour regarder les nuages et y trouver des images ? Parfois, une forme particulière pourra vous faire penser à un chien que vous avez eu, à un ange ou même au visage d'une personne décédée. Nos anges aiment bien nous envoyer des signes de cette façon, et certaines personnes m'ont même parlé de formes similaires qui seraient apparues dans des choses comme des bulles ou de la cire de bougie! Alors ne vous surprenez pas si un être cher vous apporte un signe de cette belle et douce façon.

Un jour, j'ai aperçu le visage de maman à travers les nuages. Elle n'était pas malade, ou du moins le pensais-je à l'époque. Étrangement, quand je lui ai dit ce que j'avais vu, elle m'a répondu : « C'est parce que demain je serai dans les nuages ! » En effet, elle est morte le lendemain.

— ELEANOR

QUAND SAIT-ON QU'UN SIGNE N'EN EST PAS UN ?

Bien sûr, tous les bips, sonneries ou clignotements ne sont pas des messages en provenance du ciel. Il est donc important de demeurer rationnel et logique. De potentiels phénomènes paranormaux ont souvent des explications terre à terre. Je pense que cette histoire l'illustre parfaitement.

Les lumières de ma nouvelle maison clignotaient constamment. Je ne comprenais pas pourquoi. Pendant des semaines, elles s'éteignaient et se rallumaient rapidement, pour ne pas dire furieusement. Puis j'ai pensé que ce devait être un esprit en colère. J'en étais tellement convaincue que j'ai appelé un prêtre pour qu'il vienne bénir la maison. Malheureusement, après la bénédiction, les lumières ont continué de clignoter. Un ami m'a alors suggéré de faire appel à la compagnie d'électricité pour vérifier. N'ai-je pas eu l'air stupide quand j'ai découvert que la maison était équipée d'une sonnette pour les sourds !

Ainsi, quand les visiteurs sonnaient à la porte, les lumières clignotaient ! — JUDY

À mourir de rire !

Anges et archanges

Et soudain il se joignit à l'ange une multitude de l'armée
céleste, louant Dieu et disant :
Gloire à Dieu dans les lieux très hauts, et paix sur la terre
parmi les hommes qu'il agrée.

LUC **2,13-14**

Penchons-nous un moment sur la façon dont les différents types d'anges interagissent avec l'humanité. Ensuite, si vous le voulez bien, je vous en dirai un peu plus sur les archanges et sur la façon dont ils peuvent nous aider. Puisque nous sommes plus familiers avec les anges gardiens, ces anges qui travaillent le plus près de nous, nous allons donc commencer par eux.

LES ANGES GARDIENS

Les anges gardiens sont à nos côtés depuis au moins le début de l'humanité — et probablement depuis plus longtemps encore. Ces anges sont une création de Dieu, et leur rôle est précisément de prendre soin de leurs humains à charge, de veiller sur eux. Ils éveillent notre conscience à l'égard du Créateur et nous relient aux énergies les plus élevées. En tant qu'êtres humains, les sommets vibratoires de notre Créateur nous paraissent hors de portée ; par conséquent, les anges agissent comme une sorte d'intermédiaire entre nous et l'Esprit divin.

Nos anges gardiens ne sont ni mâles ni femelles, bien qu'ils puissent parfois ressembler à l'un ou à l'autre sexe aux yeux des humains. Ils peuvent paraître plus féminins s'ils dégagent des énergies douces et tendres, ou plus masculins s'ils doivent faire appel à des caractéristiques physiques vigoureuses. Leur apparence peut aussi varier en fonction de nos propres attentes ; ils n'hésiteront pas à ajuster celle-ci pour que nous nous sentions à l'aise et en sécurité.

Je crois que mon ange gardien m'a sauvé la vie, mais je ne l'ai jamais vu ou entendu. J'étais au travail quand j'ai soudain eu envie de bouger de l'endroit où j'étais. Au moment où je m'éloignais de mon poste de travail, une pile de portes d'armoire est tombée et a écrasé la table et toutes les boîtes qui s'y trouvaient ! — STEPHANIE

Bien que les anges agissent pour le compte de notre Créateur, ils ne s'attendent pas à ce qu'on les prie de la même manière qu'on prierait Dieu. Le rôle principal de votre ange est d'offrir protection et orientation, amour et bien-être. Toutefois, il est primordial que vous leur demandiez de l'aide, car ils ne sont pas autorisés à interférer avec nos choix. Les humains disposent du « libre arbitre », ce qui signifie que nous sommes autorisés à prendre toutes les décisions en ce qui nous concerne, qu'elles soient bonnes ou mauvaises. Une partie des leçons que nous devons apprendre sur Terre consiste d'ailleurs à tirer le meilleur parti des choix que nous pouvons faire, mais les anges sont toujours là pour prendre soin de nous quand nous en avons le plus besoin... comme dans l'histoire suivante!

En 1999, quand j'avais 19 ans, j'ai eu ma première grossesse extra-utérine. J'étais sur le point de mourir dans les 30 minutes suivantes, quand j'ai été emmenée dans la salle d'opération. Je me souviens que j'étais couchée à l'hôpital et que j'ai soudainement été attirée vers ce grand tunnel. J'ai aperçu une grande lumière. Des deux côtés se trouvaient des files d'anges d'une beauté époustouflante. J'ai parcouru le tunnel et vers la fin, un ange « plus grand que nature » m'attendait. Il m'a parlé et m'a dit : « Ton temps n'est pas venu... » Au même moment, je pouvais entendre un homme m'appeler par mon nom. Il y a eu un flash de lumière et, avant que je ne le réalise, j'étais de retour dans mon lit. L'homme était mon père : il m'appelait pour que je réintègre mon corps.

C'était ma première expérience avec les anges, mais loin d'être ma dernière. Depuis ce jour où j'ai entendu mon père m'appeler dans mon oreille gauche, je peux entendre les anges me parler et jouer de leur musique de temps en temps. Je me sens tellement privilégiée.

— JOANNE

Le Nouveau Testament parle souvent des anges; des références à leur sujet peuvent être trouvées tout au long de l'œuvre, surtout en ce qui concerne Jésus. Nos anges nous aiment inconditionnellement — peu importe ce que nous faisons, où nous allons et ce que nous disons. Ils ne nous jugent jamais et ne nous regardent jamais de haut. Si vous écoutez, vous « sentirez » leur guidance (plutôt que de l'entendre ou de la voir). Bien sûr, c'est à nous de savoir si nous écoutons ou pas !

Les anges peuvent faire beaucoup de choses. Je vous invite à jeter un coup d'œil à quelques-unes d'entre elles :

- prendre soin de nos proches ;

- veiller sur nos animaux de compagnie ;

- nous aider à demeurer en sécurité (n'oubliez pas que nous avons aussi la responsabilité de prendre soin de nous-mêmes, de sorte qu'il n'est pas bon de nous mettre en danger pour ensuite jeter le blâme sur notre ange gardien si les choses tournent mal). Demandez à votre ange de vous aider. Bien sûr, il interviendra toujours pour vous sauver... à moins que l'heure de votre mort ne soit venue ;

Mon ange gardien s'est montré à moi quand, enfant, j'ai presque été tuée par ma mère. Il a souri et je me suis tout de suite sentie en sécurité et aimée. Ma mère m'a tout à coup relâchée et a quitté la pièce. Je pense qu'il est venu parce que ma mort n'était pas prévue ce jour-là. — TINA

- nous réconforter quand nous sommes tristes ;

- nous soutenir en situation de stress ;

- nous aider à rester calmes ;

Je venais juste d'avoir mon permis de conduire et j'ai été prise dans une tempête de neige par un soir de décembre.

J'avais 11 km à faire pour rentrer à la maison et j'ai été prise de panique parce que je ne pouvais pas voir les marquages routiers, ou encore la bordure de cette route à deux voies. Tout d'un coup, un sentiment de calme m'a envahie et, venant de la banquette arrière, j'ai entendu une voix qui disait : « Ça va bien se passer ». Et, effectivement, tout a très bien été. — TINA

- apporter une aide sous la forme d'une assistance « humaine » ;

Mon ange était un vieux monsieur qui est venu à mon secours quand je tentais de traverser un passage pour piétons avec mon plus jeune enfant. Il est réapparu au début des années 1990 quand de fortes rafales, venues de je ne sais où, se sont abattues sur nous. Je sentais les forts vents qui nous poussaient, la poussette et moi, vers la droite du rond-point, et j'avoue avoir pensé que nous allions être propulsés sur les autos et être tués. Sorti de nulle part, cet homme âgé, portant un chapeau en feutre et un imperméable, s'est retrouvé à côté de moi, et m'a aidée ; c'est comme si j'avais flotté jusque de l'autre côté de l'intersection ! Quand j'ai réussi à me calmer, je me suis retournée pour le remercier, mais il avait disparu ! Je sais que c'était mon ange et je continue de le sentir près de moi dans les moments où j'ai besoin de lui. Je le remercie d'avoir sauvé notre vie à un moment aussi terrible. — YVONNE

- nous assister à la naissance ;

- nous escorter lorsque nous nous rendons au ciel ;

Ma belle-mère s'est battue contre le cancer. Elle a passé ses dernières heures à la maison tandis que toute la famille était à son chevet, lui tenant la main pendant qu'elle dormait. Tout d'un coup, un faisceau de lumière doré s'est posé sur sa hanche. Au moment où il l'a touchée, elle s'est agitée et, presque tout de suite après, elle a rendu l'âme. Nous étions tous à son chevet. — CHELLE

- alerter nos amis de poser un geste;

- nous avertir lorsque nous sommes en danger;

- nous aider à guérir quand nous sommes malades (et s'assoir à notre chevet).

Quand j'étais petite, j'ai eu une amygdalite. J'étais gravement malade à l'époque parce que j'étais allergique au médicament prescrit. Le médecin n'en avait pas conscience, alors il a continué de m'en prescrire, et même davantage, parce que ma situation ne s'améliorait pas.

Puis un jour, je me souviens très bien m'être réveillée dans la nuit. Là, au pied du lit, se trouvait mon ange gardien. Je suis sûre qu'il savait ce qui se passait et qu'il était là pour veiller sur moi. — TRACEY

SE FAMILIARISER AVEC SON ANGE GARDIEN

Pourquoi ne pas donner un nom à votre ange gardien si vous ne l'avez pas encore fait? Il en sera ravi. Souvent, il se dégagera de votre ange gardien une impression de masculinité ou de féminité. Vous pouvez lui choisir un nom traditionnel, ou bien lui inventer quelque chose de magique.

Sinon, vous pouvez faire une méditation guidée et demander à votre ange qu'il vous suggère un nom. Je vous dirai comment vous y prendre plus tard dans ce chapitre.

> *J'ai suivi un cours de développement psychique pendant un certain temps et j'ai demandé à mon guide de prendre contact avec moi. Un soir, je m'étais endormie quand, tout à coup, une voix s'est écriée : « JE SUIS ANNIE DE LA LUMIÈRE » et une lumière aveuglante a envahi ma chambre. Je n'ai jamais été aussi surprise de toute ma vie.* — LISA

Vous pouvez également communiquer avec votre ange en écrivant dans un journal. Voyons-le de plus près.

COMMUNIQUER AVEC VOTRE ANGE GARDIEN

Répondez à vos questions

Essayez de vous réserver du temps chaque semaine, ou chaque jour, pour communiquer avec votre ange gardien. Assoyez-vous tranquillement avec un cahier et écrivez les questions que vous désirez poser à votre ange. Demandez-vous : « Si je connaissais les réponses, qu'est-ce que j'écrirais ? » Laissez ensuite les réponses jaillir de votre stylo. Si vous préférez, vous pouvez aussi le faire à l'ordinateur et taper vos réponses plutôt que de les écrire à la main.

Si vous le désirez, vous pouvez aussi établir un petit rituel. Allumez quelques bougies, faites jouer de la musique angélique, placez une statue d'ange sur la table en face de vous, et faites même brûler de l'encens ou infuser quelques huiles essentielles. Décidez vous-même des fragrances qui vous conviennent; en somme, tout ce qui pourra vous détendre avant de commencer votre séance de questions et réponses.

Recevez des messages

Après avoir pratiqué ceci pendant un certain temps, optez pour un style d'interaction un peu plus libre; demandez à votre ange gardien de vous apporter des messages de réconfort et de soutien. Écrivez et examinez ce que vous recevez. Vous réaliserez que des messages commencent à prendre forme dans votre tête. Votre ange utilisera probablement plus de mots « précieux » que vous n'en utiliseriez vous-même; il pourrait commencer par vous appeler « mon/ma bien-aimé(e)... », ou par vous dire « mon cher enfant de lumière, je suis avec toi, tu es aimé... » Si vous éprouvez de la difficulté à commencer votre méditation de cette façon, écrivez simplement l'une des deux phrases ci-dessus pour briser la glace, et laissez ensuite les messages jaillir de votre stylo.

Les réponses pourraient ne pas toujours venir tout de suite. Vos anges peuvent vous apporter des messages pendant plusieurs jours, ou bien vous mettre en tête plein d'idées inspirantes en une seule occasion. Il est également possible que votre ange vous envoie un ami humain pour vous aider à résoudre vos problèmes, à moins qu'il n'attire votre attention sur des signes susceptibles de vous inspirer. Votre réponse peut se présenter sous forme de mots que vous entendez répéter à la télévision, à la radio, ou tout simplement lorsque vous vous promenez ici et là. Vous pourriez aussi marcher accidentellement sur un livre tombé d'une étagère à la bibliothèque ou dans une librairie — notez alors le titre ou feuilletez-le pour y trouver de l'inspiration. Mieux encore, ramenez le livre à la maison et lisez-le : vous y trouverez probablement les informations que vous cherchez.

Une femme a littéralement fait un rêve dans lequel on lui a donné mon nom (elle n'avait aucune idée de qui j'étais auparavant, mais elle est parvenue à trouver mes livres et les réponses qu'elle cherchait s'y trouvaient).

Pratiquez la méditation

Vous pouvez également méditer avec votre ange gardien sur une base quotidienne. Si vous choisissez toujours la même heure chaque jour, ou chaque semaine, votre ange vous attendra. Alors essayez-le... et n'oubliez pas de vous présenter à votre rendez-vous !

Trouvez un endroit où vous pourrez tranquillement vous asseoir dans un fauteuil confortable (le dossier ne doit pas trop s'incliner ou vous risquez de vous endormir). Vous pouvez vous asseoir par terre, les jambes croisées, si vous préférez. J'aime personnellement avoir le dos au mur, je me sens ainsi plus en sécurité... et je ferme les yeux. Si vous optez pour une chaise, vous pourriez décider de poser les pieds sur un coussin plutôt que de les garder sur le plancher. Je porte toujours des chaussettes pour ne pas avoir froid aux pieds et je place une légère couverture d'une belle couleur crème sur mes jambes. Portez des vêtements amples qui sauront vous tenir au chaud.

Le temps de mettre les chiens et les chats à l'extérieur, assurez-vous que les enfants sont en sécurité ou que quelqu'un prend soin d'eux. Éteignez votre téléphone, allumez une bougie parfumée et faites jouer une musique agréable et reposante. Puis, quand vous serez prêt, nous pourrons commencer notre visualisation. (Vous préférerez peut-être vous enregistrer en train de réciter ce qui suit, de sorte que vous pourrez ensuite simplement fermer les yeux et vous détendre pleinement.)

MÉDITATION POUR RENCONTRER VOTRE ANGE GARDIEN

Vous vous promenez le long d'un rivage. Le bruit des vagues qui vont et viennent vous amène à être de plus en plus détendu. Le soleil brille et il n'y a personne d'autre autour. Vous avez toute la plage que pour vous. Vous entendez le chant des oiseaux au-dessus et vous continuez de vous promener, tout en écoutant le bruit des vagues... dans un mouvement de va-et-vient.

Puis, au loin, vous voyez une boule lumineuse. La lumière se déplace vers vous et vous pouvez sentir que l'énergie à l'intérieur y est paisible et calme. Comme l'énergie qu'elle contient est sûre, la lumière ne vous indispose pas, et vous vous sentez même protégé tandis qu'elle se déplace vers vous et croît de plus en plus. À l'intérieur de la lumière se trouve votre ange gardien : une boule qui resplendit d'amour inconditionnel. Vous et votre ange gardien vous enlacez. *Votre ange vous tient dans ses bras, et tout de suite, vous sentez une décharge de lumière éblouissante se déverser dans votre corps.*

Demandez à votre ange son nom

C'est à ce moment que vous pouvez demander à votre ange gardien de vous donner son nom. Soyez prêt à l'entendre; le nom pourrait vous être familier — en ce qu'il est commun dans votre partie du monde — ou il pourrait aussi vous paraître plus exotique. Le nom de votre ange peut ressembler à un nom d'ange traditionnel que vous avez déjà entendu. Peut-être que votre ange vous demandera aussi de lui attribuer un nom... parce que son «nom» ne se traduit pas en sons humains. Acceptez simplement ce que vous entendez, ou choisissez-lui un nom, et assurez-vous de vous en souvenir afin de pouvoir le noter après la méditation.

Demandez un message à votre ange

Le moment est approprié pour demander à votre ange gardien de vous transmettre un message spécial. Votre ange sera ravi de vous rencontrer face à face. Sachez que les messages de votre ange seront toujours affectueux; ils ne porteront jamais de jugement et appuieront toujours vos choix. Votre ange ne vous dira jamais ce qu'il faut faire, mais il pourrait apporter des suggestions ou des idées quant à la poursuite de votre cheminement personnel.

Posez une question à votre ange

Vous pouvez poser à votre ange gardien toutes les questions qui vous viennent à l'esprit. Si vous cherchez de l'aide pour surmonter quelque problème que ce soit, il est probable que votre ange puisse faire quelque chose pour vous. Vous pourriez obtenir une réponse pendant la méditation, ou un signe apparaîtra dans les jours ou les semaines qui suivent pour indiquer que votre ange a bien entendu votre demande et qu'il est prêt à vous prêter quelque forme d'assistance.

Demandez une guérison

La méditation peut être un bon moment pour demander à votre ange gardien une guérison. Assurez-vous que vous êtes vraiment détendu et, une fois que vous avez demandé de l'aide, restez assis tranquillement pendant que votre ange travaille sur votre champ énergétique (aura). Il est probable que votre ange soit en mesure de procéder à quelques ajustements simples pour vous. Parfois, vous pourrez même sentir ce qui se passe; si c'est le cas, vous remarquerez une sorte de picotement ou de palpitation dans votre corps, ou ressentirez simplement la douce chaleur de la lumière de guérison qui agit sur votre corps.

Demandez de l'aide pour les autres

À tout moment, vous pouvez demander à votre ange gardien de veiller sur les autres; votre ange entrera alors en contact avec les anges de ces autres personnes afin d'acquiescer à votre demande. N'ayez crainte : vous n'interférerez pas avec le libre arbitre de ces personnes ; les anges les aideront suivant les interventions qu'ils sont autorisés à pratiquer. Imaginez (visualisez) un ange assis au-dessus de la voiture pendant que votre bien-aimé conduit, ou imaginez-le encore volant aux côtés de l'avion dans lequel votre bien-aimé prend place, etc. !

Demandez du réconfort

Si vous vous sentez seul ou triste, votre méditation est le moment idéal pour demander l'appui de vos amis angéliques… et humains. Vos anges peuvent vous donner un câlin de temps à autre (et vous le ressentirez), ou ils peuvent s'arranger pour que des parents ou des amis (même de nouveaux amis) fassent irruption dans votre vie.

Lorsque vous avez terminé votre méditation, vous pouvez vous asseoir tranquillement pendant un moment et vous remémorer toutes les choses que vous avez abordées ou expérimentées. Puis, lorsque vous êtes prêt, ouvrez les yeux et reprenez graduellement vos sens. Prenez votre temps. Vous pouvez même bouger légèrement les bras et les jambes, souffler la bougie si vous en avez allumé une. Si vous le voulez, vous pouvez prendre quelques notes au sujet de votre expérience. Quel était le nom de votre ange ? Avez-vous demandé qu'il vous transmette un message ? Avez-vous posé des questions ? Si oui, notez-les et écrivez également les réponses. Consignez tous les *symboles que vous avez reçus, les couleurs que vous avez vues ou les images que vous voulez conserver — il suffit de faire un simple croquis. Puis rappelez-vous de toujours remercier vos anges pour l'aide qu'ils vous apportent.*

Si vous avez l'impression de ne pas avoir rencontré votre ange ou que vous croyez peut-être avoir inventé tout ça, ne vous inquiétez pas. Les anges sont créés lors de nos visualisations. Les expériences sont réelles. Pratiquez autant que vous le pouvez et vos expériences n'en deviendront que plus réelles, plus vivantes, au fur et à mesure que vous apprendrez à vous détendre.

Avec le temps, vos méditations pourront obtenir une vie bien à elles. Beaucoup de gens pourront faire la rencontre de guides de haut niveau, et même avoir des expériences mystiques comme des expériences extracorporelles. Ne paniquez pas, cependant, ces choses n'arrivent habituellement qu'aux gens qui ont beaucoup pratiqué! Plus vous acquerrez de l'expérience, plus vos rencontres avec votre ange seront magiques.

SECRETS DE MÉDITATION

Si la méditation est pour vous quelque chose de nouveau, alors vous pourriez trouver utile de recourir à de la musique de relaxation afin d'apaiser votre corps et votre esprit. Encore mieux, si vous êtes un vrai débutant, je vous recommande une méditation guidée (j'en ai moi-même développé plusieurs) dans laquelle une voix vous guide à travers une série d'actions mentales pour vous aider à visualiser un objectif final (c.-à-d. rencontrer votre ange gardien). Vous pouvez vous les procurer sur CD.

Au fur et à mesure que vous maîtriserez la méditation, les choses qui ont fonctionné pour vous dans un premier temps pourraient toutefois ne plus faire leur effet. Voici quelques-unes des choses qui m'ont personnellement aidée :

- Travailler dans un silence complet. En fait, il est difficile d'obtenir un silence complet car, habituellement, on entend toujours le tic-tac d'une horloge quelque part, ou encore le bruit de fond provoqué par un animal de compagnie, nos voisins, les enfants qui jouent dans la rue ou les véhicules qui circulent à l'extérieur. Au moins, sans musique, je trouve plus facile de me concentrer et d'apaiser mon esprit.

- Ne bougez pas ! Sérieusement, la minute où vous fermerez les yeux, vous aurez envie de vous gratter, de vous frotter, de tousser, d'avaler — tout pour vous distraire de votre objectif final. Si vous pouvez rester complètement immobile, vous vous déplacerez plus rapidement vers le prochain niveau de conscience ; et avec de la chance, vous sentirez vraiment le changement.

- Assurez-vous que votre corps n'est ni trop chaud ni trop froid. Si vous avez trop chaud, vous aurez probablement juste envie de dormir, ce qui, en quelque sorte, est contraire à l'objet de l'exercice.

- Assoyez-vous, ne vous allongez pas. Encore une fois, comme ci-dessus, si vous vous allongez ou que votre position est trop relâchée, vous vous endormirez. Vous devez vous tenir droit tout en étant assez confortable pour que votre tête ne tombe pas d'un côté ou de l'autre au moment où vous commencerez à vous détendre.

• Je trouve que le meilleur moment pour méditer, c'est au cours de la journée, pas trop tôt après un repas et pas trop longtemps avant le prochain — un estomac vide n'est qu'une distraction supplémentaire. Trop près de l'heure du coucher ou du réveil, et vous n'aurez encore envie que de vous endormir.

• Structurez progressivement votre temps de méditation. Pour les débutants, 10 à 20 minutes suffisent amplement. Avec de la pratique, il n'y a aucune raison pour ne pas vous allouer une heure ou deux à la fois. Si à l'occasion vous pouvez être seul chez vous, profitez-en pour méditer encore plus longtemps : plusieurs heures ou plus.

• De profonds états méditatifs (le lieu où votre esprit ira après de longues périodes de temps) conduiront inévitablement à des types d'expériences «psychiques» hors du commun. Si vous voulez rencontrer vos guides et vos anges, alors c'est à ces états qu'il faut accéder.

• Les choses auxquelles il vous faudra prêter attention incluent une sensation vibratoire qui se produit avant que la conscience ne se sépare du corps physique et génère une expérience extracorporelle. Il n'y a pas assez de place dans ce livre pour m'attarder pleinement à ce type d'expérience (en revanche, j'ai écrit à propos de certaines de mes expériences dans *Un ange m'a sauvé la vie*). Une expérience extra-corporelle se produit lorsque la part spirituelle en vous-même se sépare de votre corps physique. Les deux demeurent toutefois liés par un cordon d'argent (que vous pourriez ne pas voir), de sorte que vous ne pourrez pas vous perdre s'il vous arrive d'explorer d'autres mondes.

- Pendant une expérience extracorporelle ordinaire, vous pourriez simplement vous retrouver à flotter autour de votre maison. En soi, cela est bizarre, mais aussi longtemps que vous gardez votre calme, vous pourrez continuer de profiter de l'expérience encore plus longtemps. Profitez de cette sensation de vol plané; plus vous pratiquez ce type de méditation profonde, plus ces déplacements se produiront.

- Vous pourriez voir des êtres/esprits ou des anges, mais à tout moment, souvenez-vous que vous êtes responsable de votre séance de méditation. Vous n'avez qu'à ouvrir les yeux pour réintégrer votre demeure et mettre fin à votre expérience mystique. Si vous avez peur, vous pouvez également demander à votre ange gardien de se rendre visible pour assurer votre protection. L'archange Michael, avec sa flamboyante épée protectrice, peut également être appelé à la rescousse afin de chasser tous les êtres indésirables que vous pourriez voir ou sentir au cours de votre méditation! Essayez cependant de ne pas vous inquiéter : ces choses n'arrivent habituellement qu'au bout de séances de méditation prolongées et régulières.

* Je vous invite à vous attarder davantage au phénomène lorsque vous aurez franchi l'étape qui consiste à méditer plus de 20 minutes par jour! Bonne méditation!

UTILISATION DES CARTES ANGÉLIQUES

Les cartes angéliques sont vendues en paquets d'environ 42 à 48 cartes individuelles, le plus souvent magnifiquement illustrées et comprenant de superbes affirmations d'inspiration angélique. Chaque paquet est généralement accompagné d'un livret d'instructions (ou d'idées) sur la façon d'utiliser le jeu. J'ai d'ailleurs conçu et créé mon propre jeu (*Secrets des anges*, voir détails à la fin du livre), mais plusieurs autres auteurs ont créé le leur, alors vous avez l'embarras du choix. Plusieurs librairies les distribuent, de même que les boutiques cadeaux et nouvel âge. Vous pouvez aussi les acheter en ligne.

Les cartes angéliques sont sûres et faciles à utiliser, et elles représentent une excellente façon d'entrer en contact avec les anges. Vous pouvez tirer une ou deux cartes du paquet après les avoir brassées, ou bien commencer par poser une question à vos anges, puis piger une carte par la suite. Avec le temps, vous développerez votre propre manière d'utiliser un jeu de cartes angéliques et peut-être irez-vous même jusqu'à élaborer vos propres rituels en recourant à des bougies, des cristaux et des huiles essentielles. Utilisez votre jeu sur une base régulière afin d'affiner vos communications angéliques. Placez un jeu de cartes angéliques sur un plateau, sur une table du salon, ou bien placez-en un sur votre bureau ou table de chevet, et choisissez une ou deux cartes tous les jours afin d'obtenir la guidance que vous recherchez.

RANGS ANGÉLIQUES/HIÉRARCHIE ANGÉLIQUE

D'où viennent les anges? Nous savons déjà qu'ils ont été créés par Dieu, mais nous savons peut-être moins bien que chaque ange a son propre rôle et ses propres fonctions. Au IVe ou Ve siècle, Pseudo-Denys l'Aréopagite (également connu sous le nom de saint Denis) a créé une liste d'anges, ainsi que leurs positions célestes, ou «ordres» respectifs, dans son livre *De Coelesti Hierarchia* (*La Hiérarchie céleste*). Au Moyen Âge, d'autres ont fait connaître leurs propres suggestions, travaillant bien souvent à partir de cette liste originale, ou la bonifiant à l'aide de leurs propres idées.

Thomas d'Aquin (1225-1274) a utilisé le Nouveau Testament comme une de ses références pour créer sa propre liste : une triade angélique où chaque niveau possède trois chœurs (ou ordres) d'anges. Ces sphères ou hiérarchies répertorient les différentes catégories d'anges : les séraphins, les chérubins et les trônes étant les plus proches de Dieu ; et les anges (anges gardiens), archanges et principautés (ou princes) étant les plus proches de l'humanité.

Première sphère

1.1 Séraphins
1.2 Chérubins
1.3 Trônes

Deuxième sphère

2.1 Dominions

2.2 Vertus

2.3 Puissances ou autorités

Troisième sphère

3.1 Principautés ou dirigeants

3.2 Archanges

3.3 Anges

On dit des anges de haut rang qu'ils sont assis à la droite de Dieu. Ils travaillent en louant Dieu et sont reconnus comme les anges chantants. Les anges (et parfois les archanges) sont le plus souvent liés à la Terre, et ce sont ceux avec lesquels vous entrez le plus souvent en contact.

Les archanges

Je suis sûre que vous êtes déjà familier avec les noms des archanges Michael et Gabriel, même si vous ne savez pas ce qu'ils font. Michael et Gabriel sont les deux seuls anges mentionnés par leur nom dans le Nouveau Testament et, avec Raphaël, c'est d'eux dont on se souvient le plus. Le nom « archange » vient du mot grec *archangělos* qui signifie ange en chef, ange de haut rang.

Dans l'Église catholique romaine, les archanges Michael, Gabriel et Raphaël sont célébrés grâce à un jour de fête spéciale, appelé la Saint-Michel, ou fête de la Saint-Michel et de tous les anges (29 septembre) ; l'Église grecque orthodoxe honore, elle aussi, les archanges au moyen d'une journée spéciale (8 novembre).

Étonnamment, les archanges ne sont mentionnés que deux fois dans le Nouveau Testament. On fait allusion à Michael dans la Lettre de Jude 1,9 et dans 1 Thessaloniciens 4,16, où il est dit que la « voix d'un archange » sera entendue lors du retour du Christ.

Sept archanges sont généralement répertoriés dans les livres d'anges (même si on y retrouve des renvois à plusieurs autres). Ces sept anges traditionnels apparaissent d'abord dans le Livre d'Énoch, lequel présente Michael, Gabriel, Raphaël, Uriel, Raguel, Remiel et Saraqaël. D'autres auxquels on fait encore fréquemment allusion aujourd'hui comprennent Ariel (parfois confondu avec Uriel), Azraël, Chamuel, Haniel, Jeremiel (peut-être une variante de Remiel), Jophiel, Métatron, Raziel, Sandalphon et Zadkiel. Je suis persuadée que ce sont ces anges qui travaillent en étroite collaboration avec le royaume de la Terre, ce qui signifie que d'autres planètes ont leurs propres archanges elles aussi. Nul doute qu'il ne s'agit que de la « pointe de l'iceberg » !

Si vous voulez demander aux archanges de travailler avec vous, c'est-à-dire aux côtés de vos propres anges gardiens, il n'est pas interdit de le faire. Chacun des archanges a des tâches et des rôles qui lui sont spécifiques — ou des spécialités, si vous préférez. Le tableau suivant vous aidera à déterminer quels sont les archanges auxquels vous devriez faire appel.

Nom de l'archange	Signification du nom	Rôle/Spécialités
Ariel	Lion de Dieu	Nature, oiseaux, animaux, poissons, royaumes féériques et naturels
Azraël	Celui qui est aidé de Dieu	Ange des pêcheurs, blocages spirituels, assiste les âmes lorsqu'elles voyagent vers le ciel
Chamuel	Celui qui voit Dieu	Protection et surveillance de la Terre, âmes sœurs
Gabriel	Dieu est ma force	Messager, communication
Haniel	Gloire de Dieu	Énergies féminines, la Lune, connexions psychiques et mystiques, magie
Jophiel	Beauté de Dieu	Ange de la créativité et de la manifestation, croissance spirituelle
Métatron	Ange de la présence	Tient les registres, relations, enfants, lecture, consigne l'information
Michael	Qui est semblable à Dieu	Protection, argent, juge les âmes... et un faucheur de dragons tous azimuts!
Raphaël	Dieu guérit	Tout ce qui a à voir avec la santé et la guérison, également le patron des voyageurs
Sandalphon	Prince des prières	Transmet les messages et les prières au ciel, veille sur les enfants qui ne sont pas encore nés
Uriel	Lumière ou feu de Dieu	Guérison de la Terre et manifestation

Je demande à ce que l'archange Michael veille sur ma maison, surtout quand je suis dehors ou loin de chez moi... et je rajoute : «à condition qu'il ne soit pas trop occupé ailleurs !» — KIRSTIE

GUIDES SPIRITUELS

En plus de jouir du soutien des anges et des archanges, nous pouvons également compter sur la guidance affectueuse de nos guides spirituels. Un guide spirituel est un esprit désincarné (une âme sans corps), le plus souvent invisible, dont le rôle principal est de nous ramener à notre mission de vie. Avant la naissance, nous acceptons ou demandons d'apprendre des leçons spécifiques pour notre âme. La Terre est une formidable école d'apprentissage! Votre guide spirituel transporte donc «votre carte et votre guide terrestres» pour vous, en s'assurant que vous êtes au bon endroit, au bon moment, et que vous rencontrerez les bonnes personnes, celles que vous êtes destiné à rencontrer pendant votre périple sur Terre.

À l'instar de votre ange gardien, votre guide spirituel pourrait vous indiquer un nom par lequel le désigner — ou vous pouvez toujours lui demander de vous en fournir un. Si aucun nom ne vous est transmis après quelques jours, alors n'hésitez pas à en inventer un !

Soyez à l'affût de messages de la part de votre guide. Au début, anges, guides et êtres chers décédés vous feront tous ressentir la même chose, mais avec le temps, vous apprendrez à reconnaître la différence. Votre guide peut placer une main sur votre épaule quand vous le sentez près

de vous, ou peut-être ressentirez-vous une sorte de four-
millement à l'intérieur de votre corps. Il est possible que
votre ange vous transmette une sorte d'excitation ou un
sentiment de paix; les êtres aimés pourront quant à eux
vous apporter une odeur ou une sensation familière... peut-
être les visualiserez-vous même dans votre tête au moment
où ils entreront en contact avec vous. Prenez des notes sur
chaque expérience afin d'apprendre les nuances entre les
différents contacts.

AUTELS ET RITUELS ANGÉLIQUES

Même si ce n'est pas obligatoire d'avoir des articles à l'effigie
des anges chez soi, personnellement, j'en raffole. Ils me
remontent toujours le moral. Les anges n'ont pas besoin
d'être adorés ou priés, mais c'est merveilleux de les inclure
dans nos rituels angéliques. Un rituel est une sorte de céré-
monie qui consiste en une action reconnue et répétitive.
Allumer des bougies, prononcer des mots magiques,
recourir à des cristaux, des huiles essentielles ou à des
herbes sont autant de façons de créer votre rituel.

Bien que vous puissiez préférer utiliser des façons bien
définies de communiquer avec votre ange gardien, pour
être honnête, à la fin, tout n'est que question de préférence
personnelle : ce qui vous rend à l'aise et qui semble fonc-
tionner pour vous.

Un autel angélique est simplement une disposition d'objets que vous avez rassemblés dans un but précis. Ainsi,
votre « autel » angélique n'est qu'un arrangement d'objets
qui ont une signification particulière pour vous et pour vos
anges — coquillages de plage, figurines d'anges, fleurs, etc.

Alors pourquoi ne pas essayer de créer vos propres arrangements angéliques? J'en ai partout dans la maison, mais mon préféré est dans mon bureau. C'est un arrangement en constante évolution de plumes, de verres étincelants (que j'ai peints à la main) dans lesquels je garde de l'encens, des bougies, des figurines d'anges, des bâtons de fumigation (pour nettoyer l'espace dans lequel je travaille), des cristaux et autres objets magiques.

Bougies

On allume des bougies pour signifier «que la lumière soit» et, bien sûr, les anges sont des êtres de lumière; c'est donc une partie importante de tout rituel angélique. Allumez la bougie au début de la séance et soufflez-la à la fin, comme une manière ritualiste de marquer la fin de votre rituel ou de votre séance de travail.

Des bougies de différentes couleurs ont aussi des significations différentes. Vous pouvez ainsi créer des arrangements dans un but précis et les changer chaque semaine si vous voulez. Voici quelques couleurs de bougies et ce à quoi elles sont traditionnellement associées.

Couleurs	Usages traditionnels
Or	Protection, développement spirituel, rituels reliés aux enfants
Argent	Rituels reliés aux problèmes féminins (notamment de santé), associé à la Lune
Jaune	Utilisé pour le travail créatif et l'attraction
Rouge	Passion, bien entendu, mais aussi volonté et force
Bleu	Rêves, méditation et vérité
Vert	Équilibre, fertilité, emploi et croissance

Couleurs	Usages traditionnels
Noir	Protection, suppression de toute négativité
Blanc	Le blanc représente la paix, la tranquillité et la quiétude, mais peut aussi être utilisé dans des rituels pour remplacer toute autre chandelle de couleur
Mauve	Développement des capacités psychiques, tout ce qui est magique
Rose	Rituels associés à l'amour

Cristaux

Beaucoup de cristaux sont appropriés pour travailler aux côtés de votre ange gardien, mais certains ont des significations traditionnelles qui les rendent plus utiles. J'utilise de grandes grappes de cristal de quartz clair dans mes ateliers, mes méditations et les rituels que je tiens à la maison. Ces formes claires paraissent littéralement chanter de joie quand je les tiens. Elles sont dispendieuses, mais j'ai trouvé que l'investissement en valait la peine. Pour un effet optimal, gardez-les propres et sans poussière. De plus, placez-les sur un caisson lumineux arc-en-ciel, ou gardez-les à côté d'une bougie pour qu'elles vous offrent un chatoiement de couleurs! Essayez aussi le quartz rose pâle et l'améthyste magique. Il est vraiment facile de s'en procurer.

Figurines angéliques

J'ai une vaste sélection de figurines angéliques. Elles viennent de partout, et beaucoup sont des cadeaux que j'ai reçus. J'aime particulièrement celles d'un blanc crème uni ou celles qui sont recouvertes d'or. Certaines de mes figurines proviennent même de ventes de charité et m'ont en fait coûté très peu d'argent. Bien sûr, j'ai aussi quelques figurines plus imposantes disposées à l'extérieur de la maison et dans d'autres endroits bien en vue autour de chez moi. J'ai même tendance à les prendre avec moi lorsque je vais animer des ateliers ou que je participe à des séances de dédicaces! Alors n'hésitez pas à ajouter une ou deux figurines à vos arrangements angéliques!

Objets à l'effigie des anges

Au fil des ans, j'ai recueilli toutes sortes de souvenirs angéliques et mes arrangements en intègrent généralement quelques-uns, comme des cartes angéliques (j'en ai une vaste collection); un coffret à bijoux avec des ailes d'anges (idéal pour tenir des bougies ou pour entreposer des cristaux ou de petits jeux de cartes angéliques); des figurines de chérubins qu'on peut placer à côté de récipients, de pots à fleurs ou de bougies; de même qu'un vase et un brûleur pour huiles essentielles décorés en l'honneur des anges! Recherchez vos propres articles amusants et votre collection pourra se développer au fil des années, peut-être aussi grâce aux cadeaux que vous recevrez des autres — demandez-en comme cadeaux d'anniversaire ou à Noël.

Livres sur les anges

Les couvertures de certains de mes livres sont si jolies que je les intègre souvent à mes arrangements angéliques. Vous pouvez empiler vos livres sur les anges sur votre autel ou utiliser un support pour les faire tenir debout! Placez-les à l'arrière de votre arrangement, puis disposez les petits objets devant.

Châles à paillettes, nappes en dentelle

J'en ai toute une sélection et, parfois, il m'arrive d'utiliser des foulards comme nappes. Regardez également pour des tissus à paillettes chez les marchands de tissus de votre localité. Ils peuvent transformer une table en bois aggloméré bon marché en un arrangement magique et fastueux. C'est aussi le moment idéal pour utiliser les nappes en dentelle que votre grand-mère a tissées au crochet. Quelle meilleure façon d'intégrer son énergie dans votre arrangement?

Objets naturels

Il n'y a pas d'arrangements qui soient complets sans avoir recours à des objets naturels. Des fleurs fraîches (ou une plante à fleurs) sont très importantes pour apporter de la vie et de l'énergie à votre collection. Vous pouvez également ajouter des coquillages, du bois flotté (magnifiquement enveloppé dans des «lumières féeriques» de couleurs), de jolis cailloux et des bulbes de semence. Même un vase de feuilles fraîches (décoré avec des anges, bien sûr) peut être magnifique. Envisagez d'ajouter des pots d'herbes fraîches également.

Articles maison

Les meilleurs objets sont souvent ceux que vous avez vous-même confectionnés. Vous n'avez pas à dépenser beaucoup d'argent (voire pas du tout). Des fleurs sauvages dans des pots de confiture, des cailloux que vous avez peints ou décorés vous-même et des illustrations d'anges dans un cadre recyclé peuvent paraître tout aussi exquis. Vous pouvez vous procurer des cristaux lisses dans des boutiques cadeaux à peu de frais, et vous avez probablement déjà des bougies de quelque sorte à la maison. Utilisez ce que vous avez déjà sous la main et allez ensuite courir les ventes de bric-à-brac et les magasins de charité pour enrichir votre collection au fil du temps.

UTILISER VOTRE AUTEL ANGÉLIQUE

Vous pouvez utiliser votre autel angélique pour beaucoup de choses, mais le mien est principalement utilisé pour me remonter le moral chaque fois que je passe devant. J'ai également intégré des bougies à mon arrangement et je les allume avant et après mes méditations. Vous pouvez vous asseoir à côté de votre autel pour lire vos livres sur les anges, utiliser vos cartes angéliques ou écrire dans votre journal.

Vous pouvez créer des arrangements spéciaux pour différentes raisons. Utilisez les couleurs de bougies suggérées pour améliorer votre intention. Voici quelques suggestions pour différents types d'autels angéliques :

- Changez votre arrangement pour qu'il corresponde à chaque saison de l'année. Choisissez un thème qui correspond au printemps, puis à l'été, à l'automne et à l'hiver, en utilisant différents types de fleurs et différents tissus et accessoires de couleur.

- Choisissez un thème en lien avec les couleurs : rouge une semaine, vert l'autre semaine, puis bleu la semaine d'après !

- Faites des arrangements spéciaux pour un anniversaire ou une célébration : ajoutez des éléments qui représentent une célébration en particulier, des photos ou un prix lors d'un événement, puis ajoutez-y vos objets d'inspiration angélique.

- Créez un mémorial : ajoutez une photo d'un être cher disparu, déposez un article personnel sur l'autel et gardez une bougie blanche allumée. (Ne laissez pas la bougie sans surveillance.)

- Utilisez la manifestation : rassemblez des objets ensemble afin de représenter quelque chose que vous voulez manifester dans votre vie : un bébé, un nouvel emploi, une nouvelle relation ou une nouvelle maison, par exemple !

Prononcez quelques mots ou écrivez-en quelques-uns sur un morceau de papier ou de carton, et ajoutez-les à votre arrangement en utilisant un cadre photo ou un clip. Vous pouvez également rouler votre papier comme un rouleau de parchemin — fixez-le en place avec une bande élastique, un ruban ou de la ficelle. N'oubliez pas de remercier les anges de bien vouloir acquiescer à votre demande ou, sinon, demandez-leur de célébrer à l'avance le résultat de leur intervention avec vous. Écrivez vos propres messages. En voici quelques exemples :

« Merci, mes anges, de m'avoir apporté un nouveau bébé. »

« J'invite mes anges à venir célébrer la venue du printemps. »

N'oubliez pas d'allumer votre bougie avant de prononcer vos demandes spéciales ; vous pouvez ensuite vous asseoir tranquillement pendant que vous vous concentrez sur votre requête et que vous en visualisez le résultat. Ou vous pouvez encore méditer sur tout cela — essayez d'y consacrer au moins 15 minutes par jour, pendant plusieurs jours de suite, si vous le pouvez. Intensifiez l'objet de votre désir en vous concentrant sur votre intention. Puis soufflez la chandelle lorsque vous avez terminé.

Gardez vos objets nets et propres. Changez régulièrement l'eau des fleurs, enlevez les fleurs mortes, nettoyez les cristaux — ils brillent davantage lorsqu'ils sont propres. Assurez-vous que tout est exempt de poussière. Si vous regardez votre autel et qu'il ne vous stimule plus, alors vous savez qu'il est temps de tout enlever et de recommencer. Surtout, amusez-vous — chaque arrangement reflète la personnalité de la personne qui l'a créé !

Nos proches les anges

Les amis sont des baisers soufflés par les anges.

AUTEUR INCONNU

Il y a plusieurs années, quand j'ai commencé à collectionner les histoires d'anges, je me suis rendu compte que ce que beaucoup de gens appelaient une « histoire d'intervention angélique » était en fait la visite d'un être cher décédé. J'ai compris assez rapidement que les êtres disparus sont prompts à nous tendre la main et à nous aider, à l'exemple de ce que nos anges font à partir du ciel. Le souci et l'intérêt qu'ils portent à nos vies sont aussi réels que lorsqu'ils étaient vivants.

Les êtres chers qui nous ont quittés sont toujours intéressés par notre vie, nos intérêts, nos activités, et ils continuent à suivre le cours du cheminement de chacun. Ils portent une attention particulière à nos réalisations : le passage d'un examen important, l'obtention de notre permis de conduire ; ils veulent aussi être là quand des prix et des certificats nous sont décernés. Même si nous ne pouvons les voir, cela ne signifie pas qu'ils ne sont pas conscients de notre succès. Vos proches sont fiers de vous et ils vous encouragent depuis le ciel.

Au fil des ans, j'ai reçu beaucoup de témoignages selon lesquels des êtres disparus auraient été aperçus penchés au-dessus du lit d'un nouveau-né, veillant au chevet d'un parent hospitalisé, ou s'écriant depuis la banquette arrière d'une voiture pour avertir d'un danger imminent de la route.

Je n'irais peut-être pas jusqu'à dire qu'ils sont destinés à «s'ingérer» dans nos vies, mais en tout cas, ils ne semblent pas être liés par les mêmes règles de «non-ingérence» qui s'appliquent aux anges et aux guides. Je pense qu'il est juste de dire que si votre grand-mère était du genre à donner une opinion franche sur vos petits amis de son vivant, elle continuera probablement de le faire maintenant qu'elle est décédée. Qu'elle soit au paradis ne signifie pas qu'elle se soit soudainement transformée en sainte! Nos êtres chers disparus ont toutefois accès à un peu plus d'information que celle dont nous disposons sur Terre... Néanmoins, même en prenant tout ceci en considération, il n'en demeure pas moins qu'il revient à nous de statuer sur la pertinence d'accepter un deuxième rendez-vous galant ou non — n'en déplaise à grand-maman!

SAUVER DES VIES

Une des interventions que les êtres disparus semblent être le plus à même de pratiquer consiste à sauver des vies; parfois, ils nous extirperont littéralement du danger dans lequel nous nous trouvons. Par ailleurs, je me demande si nous ne serions pas plus enclins à entendre la voix de quelqu'un que nous avons connu et aimé. Bien qu'elle surgisse de nulle part, les gens sont certainement plus disposés à s'arrêter et à prêter attention lorsque la voix qui crie «STOP!» à tue-tête appartient à leur grand-père décédé.

Mes deux grands-mères, dont l'une que je n'ai jamais connue, sont toujours avec moi en cas d'urgence. Un jour, j'ai pleuré pour qu'elles me viennent en aide alors que je tentais de sauver la vie de ma mère qui était en proie à une crise. J'ai crié et crié leur nom pour qu'elles volent à mon secours. Tout à coup, je suis devenue très calme, j'ai appelé une ambulance et j'ai pratiqué des techniques de réanimation sur son corps. Après 15 minutes, les ambulanciers sont arrivés et m'ont dit que le fait que je sois restée calme a permis de sauver ma mère! Je vous remercie, adorables grand-mamans. — PAMELA

VISITES PENDANT LE SOMMEIL

Une autre chose que j'ai découverte, c'est que le phénomène de contact avec l'Au-delà se fait de plus en plus fréquent. Quand j'ai commencé mes recherches (il y a bien longtemps!), ces types d'expériences paranormales étaient plus rares. Aujourd'hui, il est très commun qu'au moins un membre de la famille ait eu quelque forme de contact avec l'Au-delà.

C'est là que vous vous rendez compte que «quelque chose» se passe vraiment; notre monde évolue, et nous avec lui. Tandis que nous devenons plus évolués en tant qu'âme dans un corps humain, les expériences mystiques feront de plus en plus partie de la vie courante. Tous ceux qui ont connu ce moment unique d'étrangeté, cette drôle d'occasion où quelque chose ne cadre pas avec la réalité normale, sachez que la vie n'est plus ce qu'elle était. Aussi n'est-ce qu'en vous présentant une longue liste de choses étranges que quelque chose pourrait tout à coup vous revenir à l'esprit. Une des situations suivantes s'est peut-être déjà présentée dans votre vie.

- Vous saviez qui était au téléphone ou à la porte avant même que vous puissiez voir ou entendre de qui il s'agissait.

- Vous sentez que quelqu'un vous regarde, vous vous retournez, et vous vous rendez compte que c'est bien le cas.

- Vous sentez le besoin de vous rendre au travail en empruntant un autre chemin, ou de quitter la maison un peu plus tard, sans raison apparente. Vous découvrez ensuite qu'il s'est produit un accident de la route auquel vous n'auriez pas échappé si vous aviez fait comme d'habitude.

- Vous ressentez l'envie de communiquer avec un vieil ami et vous découvrez qu'au même moment, il tentait justement d'entrer en contact avec vous.

- Vous pensez à des personnes que vous n'avez pas vues depuis des années, puis vous tombez soudainement sur elles.

- Vous vous rappelez un vieil ami, ou pensez à un parent éloigné à qui vous n'avez pas parlé depuis des années, et vous découvrez qu'il vient de mourir.

- Vous pensez tranquillement à quelque chose, ou vous vous posez mentalement une question, et quelqu'un dans la salle y répond tout à fait par hasard, ou commence à parler de ce sujet (ou vice versa).

- Vous rêvez à des êtres chers décédés, mais vous savez, même pendant votre sommeil, qu'ils ne sont plus vivants.

- Vous appelez à l'improviste chez un ami et découvrez qu'il avait urgemment besoin d'aide.

- Vous avez besoin de quelque chose d'étrange ou d'inhabituel et quelqu'un vous offre la chose exacte à laquelle vous pensiez.

- Vous demandez un signe pour vous indiquer que vous n'êtes pas seul, puis vous trouvez des plumes blanches ou d'autres signes.

- Vous savez ce que quelqu'un pense avant qu'il ne le dise.

- Vous vivez des moments où la réalité n'est pas tout à fait ce qu'elle devrait être.

- Vous cumulez les impressions de déjà-vu.

- Vous savez tout simplement quand quelque chose va arriver.

- Vous avez le pressentiment que quelqu'un que vous aimez est en difficulté... et il l'est vraiment.

- Vous avez des «souvenirs» d'une époque où l'on pouvait voler ou faire d'autres choses inhabituelles, ou vous sentez simplement que vous n'êtes pas d'ici !

- Vous avez des souvenirs de vies antérieures ou d'autres lieux... ou d'autres planètes avec différents types d'êtres vivants ! (Oui, très sérieusement !)

MÉDITEZ DAVANTAGE

Essayez de méditer tous les jours si vous le pouvez — 10 ou 15 minutes par jour, c'est déjà très bien (mais essayez d'en faire plus durant la fin de semaine ou lorsque vous avez plus de temps). Essayez de méditer chaque jour à la même heure si vous le pouvez ; c'est l'idéal, mais si ce genre d'horaire ne vous convient pas, tâchez de vous accorder au moins quelques séances par semaine. Il y a déjà beaucoup de livres et de sites Web qui expliquent en détail comment vous y prendre, alors il est inutile que je m'attarde plus longuement sur le sujet.

CONTEMPLATION

Essayez également de consacrer plus de temps à des activités de contemplation. J'entends par là s'asseoir et écrire dans un journal, faire une promenade, ou encore s'asseoir face à la mer, à une rivière ou à un lac, si vous le pouvez. Peut-être pouvez-vous même aménager un coin de votre résidence à cette fin ? Vous pourriez par exemple placer un billot ou un banc dans un coin de votre jardin pour vous y asseoir et l'entourer de plantes parfumées, de belles figurines (d'anges peut-être), ou encore décorer l'endroit avec des bougies chauffe-plat déposées dans des bocaux ou recourir à des lumières d'extérieur «féeriques».

Vous pouvez même faire cela dans un très petit jardin, ou peut-être encore installer une chaise contre le mur à l'arrière de votre propriété et l'entourer de quelques pots — n'importe où il est sécuritaire de s'asseoir les yeux fermés. À moins que vous ne disposiez que d'un balcon? Cela fonctionnera tout aussi bien ou, à défaut d'avoir un balcon, placez des fleurs ou des herbes parfumées dans un pot sur le rebord d'une fenêtre, accrochez quelques photos d'anges, allumez de l'encens, ou faites brûler des huiles essentielles dans un brûleur à cet effet — allumez enfin une bougie et le tour est joué! Vous pouvez aussi écouter de la musique douce et relaxante comme fond sonore. Alors, allez-y : aménagez votre coin pour la contemplation ou la méditation angélique dès aujourd'hui! Et si vous avez un peu plus d'espace, peut-être pouvez-vous même créer plusieurs aires spéciales. N'oubliez pas que vous n'êtes limité que par votre imagination. Un tel endroit sera le lieu idéal pour lire vos livres sur les anges ou utiliser vos cartes d'affirmation angéliques.

MANIPULER L'ÉNERGIE AUTOUR DE NOUS

C'est incroyable de voir comment les anges peuvent interagir avec nous de ce côté-ci de la réalité. Nos amis spirituels sont si actifs! L'histoire suivante m'a vraiment impressionnée. Qu'en est-il pour vous?

Mon filleul Sidney est mort subitement et tragiquement du syndrome de mort subite du nourrisson. Deux mois après son décès, je bricolais quelque chose à déposer sur sa tombe. C'était une boîte de bois et de paille, de 60 par 40 centimètres, avec de petites poignées. À l'intérieur, j'avais inséré une représentation du monde avec de petits enfants : des enfants d'Amérique, de Chine, d'Europe, etc. Après une semaine, la boîte était terminée. J'avais utilisé du bois, de la paille, du papier, tout ce qui brûle en un rien de temps. J'étais vraiment fière de mon travail et ça convenait parfaitement à la tombe d'un petit enfant.

Au dernier soir, j'ai appliqué un vernis sur la boîte ; elle pourrait ainsi tenir le coup sous la pluie. Je voulais complètement l'imperméabiliser. Comme je pulvérisais le vernis, je n'ai pas fait attention à l'une de mes bougies qui se trouvait sur la même table, à une distance d'un mètre seulement. Bien sûr, le gaz contenu dans la cannette a alimenté la flamme et, en moins d'une seconde, toute la boîte avait pris feu. Pouvez-vous imaginer une chose pareille ? La flamme s'est transformée en chalumeau et elle s'est dirigée droit au plafond. Je pouvais voir des flammes raser le vieux plafond de bois sec !

Les flammes étaient deux fois plus grandes que la boîte elle-même et, lorsque j'ai crié, les chiens se sont enfuis tellement ils avaient peur. La seule chose qui m'est venue à l'esprit, c'est d'agripper la boîte par une des poignées et de la projeter sur le sol. Nous venions d'acheter la maison, et tout était vieux et très sec, alors j'ai rapidement saisi l'autre poignée et j'ai traîné la boîte (tout en continuant de crier) jusque dans la cuisine. La porte était ouverte, alors j'ai continué de faire glisser la boîte jusqu'à ce qu'elle se retrouve à l'extérieur.

Les flammes gagnaient maintenant mes mains et mes bras : j'étais terrifiée. Lorsque les pompiers sont arrivés, le feu était presque éteint. Tout le monde scrutait le salon, mais il n'y avait AUCUN signe d'incendie! L'ancien plafond en bois était intact... le tapis (qui était si vieux) n'avait aucune marque de brûlure. Sur ma table, il y avait une nappe et elle paraissait flambant neuve! Personne ne pouvait l'expliquer. Je n'avais même pas de brûlures aux mains ou aux bras.

Quelques jours plus tard, j'étais devant la tombe de Sidney et je lui ai demandé s'il avait quelque chose à voir avec ça. C'était un jour nuageux, mais lumineux, et, au moment où je lui ai posé la question, de petites gouttes de pluie me sont tombées dessus. J'ai commencé à rire et je lui ai demandé : « Sidney, c'est toi qui a fait ça? » et il a immédiatement cessé de pleuvoir. — **PAMELA**

Est-ce que Sidney pourrait avoir éteint le feu dans la maison? Peut-être que oui... avec un peu d'aide! Je suis persuadée que Sidney avait pris connaissance de la création spéciale que Pamela avait conçue en son honneur. Je ne doute pas qu'il soit fortement intervenu pour assurer le bien-être de Pamela. Dieu merci, elle est saine et sauve. Imaginez quelle tragédie cela aurait pu être.

L'expérience suivante est tout aussi fabuleuse. Elle montre que nos êtres chers (comme d'habitude) ne sont pas contre un peu d'humour. Il y a plusieurs années, plusieurs d'entre vous s'en souviendront, une émission de télévision était sur les ondes et s'appelait *This Is Your Life*. Elle mettait en vedette des célébrités qu'on mettait en contact avec de vieux amis, des membres de la famille et d'anciens collègues de travail. Le rêve suivant fait-il référence à cette vieille émission? Jugez-en par vous-même!

J'ai fait un rêve où je me trouvais au sommet de l'escalier, dans la maison de ma vieille grand-mère (elle était alors décédée), lorsque cet homme est subitement sorti de la chambre. Il a dit : « This Is Your Life » [C'est votre vie], et il s'est mis à me présenter tous mes parents qui étaient décédés... c'était tellement excitant. Je pouvais les entendre monter les escaliers, puis les serrer dans mes bras et les entendre me dire : « Tu es exactement comme je t'avais imaginée » (car certains étaient décédés avant que j'aie pu les connaître)... Je m'en souviens si bien que c'est comme si ce n'était pas un rêve du tout. — BECKY

Un des signes dont nous avons parlé dans le chapitre «Signes en provenance de l'Au-delà» est la capacité de nos êtres chers à faire clignoter nos lumières une fois qu'ils sont décédés. Mais que faire s'ils *sont* la lumière? La lumière est présente dans un grand nombre d'histoires que mes lecteurs et lectrices partagent avec moi. L'expérience suivante est particulièrement magique :

Mon grand-père est décédé il y a 16 ans, un 10 janvier. Le 31 janvier, il est venu me rendre visite (c'était aussi son anniversaire). Quand il est apparu, des lumières vertes ont illuminé ma chambre. J'ai pu voir mon grand-père descendre des airs et se coucher à côté de moi. Je continue de croire que les autres lumières vertes qui volaient autour de ma chambre ce jour-là correspondaient à nos deux anges gardiens. — OLIVIA

Stella vient des États-Unis. Elle est l'une de mes amies Facebook et elle a déjà eu un site Web où elle décrivait les nombreuses expériences qu'elle a eues au fil des ans. Elle m'a envoyé le lien vers son site et m'a donné la permission d'utiliser ces expériences dans mon livre.

J'étais tellement excitée à propos des nombreuses choses qui me sont arrivées avant et après la mort de mon père que je devais les partager avec mes amis et mes voisins des deux côtés de la maison. Il va sans dire qu'ils n'étaient pas aussi excités que moi. En fait, mes deux voisins ont même commencé à m'ignorer pendant un certain temps.

Environ six mois après la mort de papa, ma voisine est venue me dire : « Stella, je tiens à m'excuser. Quand tu m'as dit des choses qui se sont produites après la mort de ton père, j'ai pensé que tu étais folle jusqu'à ce que ces choses m'arrivent également. » Elle et son mari avaient prévu aller en Géorgie une fin de semaine pour visiter sa belle-mère, mais quelque chose leur a fait savoir à tous les deux qu'ils devraient plutôt rendre visite à ses parents à elle. Cette nuit-là, beaucoup de choses étranges se sont produites et, le lendemain, son père est décédé. Ils étaient reconnaissants pour cette dernière soirée qu'ils avaient pu passer avec lui, ainsi que pour les événements qui se sont produits avant et après, et qui leur ont fait comprendre que son père allait bien et qu'il était entre bonnes mains.

Au milieu de la nuit, en rêve, mon père m'a dit (il m'a toujours appelée « Stelle ») que mon mari Ken perdrait son

emploi, mais de ne pas nous inquiéter, car il y avait une raison pour ça. Je me suis réveillée le lendemain, je me suis rappelé le rêve, et je me suis mise à rire. Après tout, quand Ken a obtenu son emploi, on lui avait promis qu'il pourrait le garder aussi longtemps qu'il le voulait. J'ai pensé que le rêve n'était que le fruit de mon imagination jusqu'à ce que, quelques jours plus tard, mon mari rentre du travail dans l'après-midi pour me dire qu'il avait perdu son emploi. J'ai d'abord cru qu'il plaisantait…. jusqu'à ce que je remarque les objets personnels qu'il avait ramenés avec lui, ainsi que son chèque de départ. Je me suis ensuite souvenu du rêve et j'ai compris qu'on m'avait préparée à affronter ce qui s'en venait.

Quelques mois plus tard, mon mari a obtenu un nouvel emploi, et nous savions que nous devions déménager. En rêve, j'ai vu une grande maison blanche de deux étages. J'ai vu aussi une grande église près de la maison. Peu de temps après, mon mari est rentré du travail et m'a parlé d'une maison à deux étages qui avait été mise en vente. Nous y avons jeté un coup d'œil et c'était la même maison que j'avais vue en rêve quelques jours auparavant. Nous avons eu la maison sans avoir l'argent. Cette maison avait été transformée en foyer de repos pour personnes âgées et handicapées, et nous en sommes devenus les administrateurs… sans aucune expérience préalable. La maison a été entièrement payée en seulement deux ans. Nous avons gardé la maison de repos pendant quelques années, puis notre voisin, qui avait travaillé pour nous, a fini par l'acheter et a gardé la maison de repos en activité pendant de nombreuses années.

La mère de Ken était dans une maison de soins infirmiers. Nous et son autre famille avons pris de nombreuses photos d'elle et de sa famille dans la maison de soins infirmiers et, quand elle est morte, nous avons fait un DVD commémoratif à montrer à la veille de ses funérailles.

Ken et moi avons essayé d'obtenir le plus de photos possible, avec l'intention de mettre les images sur le DVD et de les accompagner d'une musique. Nous sommes allés au lit fatigués et, quand je me suis réveillée, quelqu'un m'a dit cette nuit-là (probablement sa mère) qu'il nous fallait ajouter quelques photos d'elle, plus jeune, pour aller avec les photos prises à la maison de soins infirmiers. Je voulais réaliser un meilleur travail avec le DVD, mais je savais, quand on s'est réveillés le lendemain matin, qu'on n'aurait pas le temps. On devait se préparer pour les funérailles, et on avait un long trajet à parcourir par la suite. On a donc décidé d'ajouter rapidement quelques photos, puis d'en rester là ; l'espacement n'était malheureusement pas comme je l'aurais souhaité, et on n'avait plus de temps pour ajouter de la musique.

Plus tard, quand on a regardé le DVD, on a été stupéfaits. Les photos qu'on avait ajoutées au début étaient magnifiquement espacées et on pouvait y entendre de la musique de fond. Quand on a montré les photos d'elle à la maison de soins infirmiers, celles-ci ont défilé très rapidement, presque comme si elles n'avaient pas d'importance. Puis, vers la fin, il y avait d'autres photos d'elle lorsqu'elle était plus jeune, et encore une fois, celles-ci étaient espacées normalement, et non à la hâte. On s'est rendu compte qu'une force surnaturelle nous avait aidés,

car il aurait été humainement impossible d'arranger le
DVD de cette façon avec le temps dont on disposait.

J'ai dit à ses petites-filles, qui avaient pris soin d'elle
pendant les deux dernières années de sa vie, que leur
grand-mère était vraiment douée en informatique. Elles
m'ont regardée comme si j'étais folle… jusqu'à ce que je
leur explique pour le DVD. Je crois fermement qu'elle
nous a aidés à réaliser son mémorial et qu'elle a arrangé le
DVD comme elle l'entendait ! — STELLA

DE L'AMOUR TRANSMIS DEPUIS L'AU-DELÀ

Tout le monde est à la recherche d'un peu d'amour et
de reconnaissance, alors pourquoi ne pas aimer quelqu'un
et lui témoigner de la reconnaissance dès aujourd'hui !
Lorsque nous n'exprimons pas nos sentiments quand il est
temps, nous en éprouvons du regret, dans cette vie comme
dans la suivante. Souvent, nos proches reviennent pour
exprimer les mots qu'ils n'ont pas su nous dire quand ils
étaient encore parmi nous. « Je t'aime. Je suis fier de toi. »
Qui ne voudrait pas entendre cela ? Bien sûr, nous le vou-
drions tous. Alors suivez mon conseil… maintenant !

La main qui vous guide

En nous confrontant aux mystères irréductibles
qui élargissent notre vision quotidienne pour y inclure l'infini, la
nature nous ouvre une voie directrice et invitante
vers la vie spirituelle.

THOMAS MORE

QUI ÊTES-VOUS?

Nous nous éveillons présentement à notre véritable moi. Beaucoup d'entre nous ont déjà vécu sur d'autres planètes, dans d'autres mondes ou dans des dimensions différentes. Peut-être êtes-vous également ici pour aider la planète à évoluer. Ce monde trépidant qui est le nôtre nous fait oublier notre véritable identité. Lorsqu'à la naissance, nous intégrons un corps humain, nous n'avons aucune idée de qui nous sommes vraiment — mais cela est en train de changer.

Des milliers de gens à travers le monde prennent conscience de qui ils sont vraiment. Nous sommes des esprits venus expérimenter la vie humaine — nous sommes tellement plus que de simples corps. N'ayez pas peur. La Terre est une planète merveilleuse (bien que nous, les humains, ayons certes commis beaucoup d'erreurs sur cette planète). Nous avons déjà causé beaucoup de dommages à notre bel Éden, en plus d'avoir transmis des énergies néfastes à tout l'univers. Il est temps que cela change. Nous assistons à un changement en ce moment même, alors suivez le mouvement.

Notre rôle est d'aimer : aimer la planète, aimer les créatures qui sont ici et qui s'aiment. Les êtres des autres royaumes sont déjà là (beaucoup d'entre eux ne savent toujours pas qui ils sont, mais ils s'éveillent à cette réalité un peu plus chaque jour). Certains sont simplement ici pour contenir les énergies positives de la planète ; d'autres sont là pour apporter de la lumière aux régions du monde dévastées, ou encore pour changer ceux qu'ils rencontrent, ne serait-ce qu'en les croisant physiquement. Alors peut-être que, comme moi, êtes-vous l'un de ces êtres ? Ne vous êtes-vous pas déjà demandé quel était votre rôle sur Terre ? Et quelle est votre façon d'aider les autres ? Quel est votre rôle dans la vie, dans votre présente incarnation ? Quoi qu'il en soit, je vous invite à continuer de faire ce que vous aimez, car il y a de fortes chances pour que votre mission s'y rattache !

TRAVAILLER AVEC VOS ANGES ET VOS PROCHES POUR CHANGER VOTRE VIBRATION

Nous sommes tellement plus que des êtres de chair. Les êtres humains sont des esprits qui habitent un corps humain. La partie qui est réellement nous, c'est notre esprit ou notre âme, pas notre corps ! Dans plusieurs de mes livres, j'ai écrit au sujet des expériences extracorporelles. Nous nous apprêtons à évoluer jusqu'au point où nous n'utiliserons plus nos solides et «lourds» corps humains. Vous trouverez ci-dessous l'histoire d'une lectrice qui a eu l'occasion de vivre une expérience extracorporelle (d'ailleurs, j'ai moi-même vécu plusieurs expériences de ce type).

J'étais en train d'écouter un CD de relaxation (de la harpe), allongée sur mon lit. Je me sentais profondément détendue et très très lourde. J'avais les yeux fermés. La dernière chose dont j'ai eu conscience, c'est d'avoir entendu un bourdonnement ou un grésillement dans mon esprit, un peu comme le bruit d'une radio mal syntonisée. Mon corps semblait vibrer très rapidement. Je suis demeurée calme et je me suis laissée aller.

Puis je me suis sentie légère comme jamais aupara-vant, j'avais la sensation de flotter. Je pouvais maintenant voir autour de moi, même si mes yeux étaient toujours fermés. Je me suis envolée vers le plafond, puis je me suis retournée pour faire face à ma fenêtre de chambre. J'étais toujours consciente de la musique qui jouait, mais je l'en-tendais maintenant faiblement, comme si elle jouait au loin. Ce dont je me souviens ensuite, c'est que je suis sortie par la fenêtre de ma chambre et, au moment où c'est arrivé, je me suis retournée et je me suis vue étendue sur le lit ; c'était très étrange, mais, en même temps, je me sentais calme et en sécurité. J'ai «flotté» au-dessus du jardin pour ce qui m'a semblé être une seconde, puis j'ai pensé : «Je me demande si je pourrais aller voir ma mère et mon père ?» (Ils étaient en vacances à l'époque.) À peine y avais-je pensé que je planais au-dessus de la roulotte de mes parents et que je pouvais les voir assis à l'intérieur.

Et j'ai pensé : «Si c'est une vraie expérience extracor-porelle, alors tout ce que j'ai à faire, c'est de bouger mes

doigts et mes orteils, et je serai de retour dans mon corps.»
Eh bien, cette pensée m'a aussitôt ramenée dans ma
chambre, allongée sur mon lit. Je m'en veux de ne pas
avoir tiré le meilleur parti de l'expérience. Le tout était
surréaliste, mais ce n'était certainement pas un rêve.
J'avais déjà eu des rêves lucides auparavant, et ce n'en
était pas un. J'étais aussi consciente de tout ce qui se pas-
sait, comme je le suis en temps normal, mais tout semblait
tellement calme et détendu... presque flou. Je n'avais qu'à
penser à quelque chose et j'y étais, avant même que j'aie
fini d'y penser. J'avais environ 26 ans à l'époque et j'ai
regretté de ne pas avoir exploré le phénomène davantage
avant de réintégrer mon corps! — PETA

Il y a beaucoup de choses sur lesquelles vous pouvez travailler en ce moment (avec l'aide des êtres chers qui sont
disparus, bien sûr) pour aider à élever votre vibration. J'ai
mentionné quelques-unes d'entre elles plus tôt dans ce livre,
mais voyons-y maintenant de plus près.

CHANGEZ VOTRE ALIMENTATION

Pour devenir plus léger spirituellement, regardez votre alimentation. Les aliments que nous avons été en mesure de
consommer notre vie durant semblent maintenant occa-
sionner des problèmes à notre corps.

Les meilleurs aliments

Privilégiez les aliments frais, non transformés, les produits
bio, les salades, les légumes, les fruits, les graines et les noix

(si vous n'êtes pas allergique, bien sûr), les poissons gras, l'huile d'olive et les autres huiles santé — lisez les étiquettes ! Mangez plus de légumes crus. Intéressez-vous aux haricots de germination (la luzerne, par exemple — faites préférablement pousser la vôtre, ainsi vous saurez qu'elle est fraîche). Et buvez beaucoup d'eau.

Aliments acceptables

Produits laitiers : si vous consommez du lait, privilégiez l'écrémé ; le lait de chèvre semble également plus facile à digérer. Si vous consommez du fromage, optez pour les fromages à faible teneur en matières grasses. Les œufs sont acceptables. Idem pour les légumes surgelés, les légumes en conserve, les jus de fruits et le poulet. Les légumes de la catégorie des féculents (comme les pommes de terre), le riz et les grains entiers sont également acceptables. Mangez cependant tous ces aliments avec modération ou optez pour des portions plus petites que celles que vous consommiez jusqu'à présent.

Aliments à éviter

Mangez moins d'aliments transformés, de sel, de sucre, moins de tout ce dont la saveur a été artificiellement rehaussée, moins de boissons sucrées ou de collations, d'aliments gras, de viandes rouges, de sauces riches, de crème, de caféine, de succédanés de sucre et d'alcool. Essayez d'abandonner le tabac ou d'en réduire votre consommation. Par ailleurs, saviez-vous que des scientifiques de Boston ont découvert que le fait de boire une ou plusieurs boissons gazeuses (régulières ou diètes) chaque jour double le risque de syndrome métabolique ?

Au plus profond de vous, vous savez déjà tout ça. Et ce qu'il y a de mieux, quand vous prenez soin de vous de cette façon, c'est que votre peau se met à briller, votre poids se stabilise et votre niveau d'énergie augmente. Vous vous sentez plus énergique, mais vous avez aussi un meilleur sentiment de bien-être. N'allez cependant pas tout changer en même temps : diminuez une chose à la fois. Renoncer au sucre est tout un défi, surtout si, comme moi, vous êtes accro au chocolat. Ne vous étonnez pas d'en avoir encore envie pendant un certain temps. Certaines personnes rapportent même qu'en cesser la consommation entraîne des effets secondaires indésirables tels que des maux de tête. Mais ce n'est pas tout le monde qui en souffre et, dans tous les cas, ils finissent par passer assez rapidement. Il suffit alors de prendre votre temps et aussi de demander conseil auprès de votre médecin ou d'un diététicien.

Prenez quelques minutes pour honorer vos aliments avant de les ingérer. Autrefois, c'était une tradition de «rendre grâce», de remercier Dieu pour la nourriture qu'il mettait sur notre table. Pour leur part, les Amérindiens rendaient grâce à l'animal pour l'habillement et la nourriture qu'il leur fournissait. Il s'agit là d'une grande coutume et nous devrions travailler en ce sens chaque fois que nous mangeons quelque chose. Passez quelques instants à bénir votre nourriture pour tous les nutriments qu'elle vous apporte. Imaginez toute cette force vitale qui dynamise votre corps pendant que vous mangez.

L'eau est particulièrement importante afin de vous garder bien hydraté. Combien de fois avons-nous pris un analgésique pour un mal de tête quand un simple verre d'eau aurait suffi à enrayer la source du problème ? La déshydratation cause tant de problèmes ! Assurez-vous de garder un verre ou une bouteille d'eau à portée de main pendant que vous travaillez, et sirotez doucement tout au long de la journée. N'oubliez pas de bénir l'eau en premier lieu — vous pouvez également suivre ce petit rituel : tenez la paume de votre main droite (main gauche si vous êtes gaucher) au-dessus de l'eau (ou de la nourriture). Dessinez une spirale au-dessus de la surface, d'abord dans une direction, puis dans l'autre. Vous pouvez vous contenter de l'imaginer si vous voulez, mais en la dessinant physiquement plutôt que dans votre tête, les autres vous verront et vous questionneront à ce sujet — ce sera là une formidable occasion de passer le mot !

Prenez le temps lorsque vous mangez votre nourriture, ne vous précipitez pas. Profitez de chaque bouchée, savourez-la. Ne consommez pas les aliments que vous n'aimez pas ou n'appréciez pas vraiment — cela revient à faire pénétrer du poison émotionnel dans votre corps ! Vous méritez le meilleur, le plus frais, et les aliments les plus sains pour assurer la préservation de votre corps aussi bien que de votre esprit.

AIMEZ CE QUE VOUS FAITES... ET VIVEZ PLUS LONGTEMPS ET PLUS HEUREUX

Si vous ne vous passionnez pas pour le travail que vous faites — ou du moins ne l'appréciez pas — pensez à vous trouver un travail plus agréable. Si l'argent est un problème, alors pensez à la façon de dépenser moins d'argent chaque mois. Avez-vous vraiment besoin de tous les derniers équipements électroniques, de ces vacances fantaisistes, de vos deux voitures par famille, etc.? Ne pourriez-vous pas sortir de la ville et opter pour un coin de pays qui soit plus abordable? Ne pourriez-vous pas louer une chambre inutilisée de votre domicile pour économiser ou faire de l'argent? Rappelez-vous aussi que si vous débranchez tous vos appareils lorsqu'ils ne sont pas utilisés, vous économisez de l'électricité.

Nous devenons prisonniers d'ornières que nous avons nous-mêmes creusées en raison d'habitudes que nous avons nous-mêmes créées. Assoyez-vous un instant avec un ami afin d'obtenir une vision objective de la façon dont vous pourriez raisonnablement changer votre mode de vie. L'objectif est d'avoir moins de stress dans votre vie et de dégager plus de temps et d'argent pour faire les choses que vous aimez. Ne pourriez-vous pas vous recycler afin d'occuper un emploi qui vous apporterait de la satisfaction? Demandez-vous: qu'est-ce que je ferais si je pouvais faire quoi que ce soit en ce moment? Qu'est-ce que je ferais pour moi, pour le plaisir? Utilisez ce qui vous vient à l'esprit comme un indice de ce que vous devriez rechercher en termes de nouvelles possibilités de carrière.

Souvent, lorsque nous amorçons un travail que nous aimons, nous voyons notre revenu augmenter — mais ce n'est pas une obligation. Pensez à la façon de changer votre vie pour le mieux. Demandez à vos anges et aux êtres chers décédés de vous soutenir et de vous aider à obtenir des possibilités propres à favoriser votre accomplissement. Ayez une vie plus positive si vous le pouvez : essayez de lâcher prise quant aux pensées et aux attitudes négatives qui vous empêchent de mener une vie plus heureuse. Souvent, les choses pour lesquelles nous nous inquiétons ne sont pas du tout importantes. Vivre avec moins de stress peut même prolonger votre espérance de vie.

Leslie Martin, titulaire d'un doctorat et coauteure d'un livre sur la longévité (*The Longevity Project*), affirme : « Ce que nous avons découvert [au cours du projet], c'est que les personnes consciencieuses, parce qu'elles se maintenaient au-dessus des choses de la vie quotidienne, et qu'elles étaient organisées et responsables, obtenaient souvent beaucoup d'opportunités et vivaient bien souvent des vies passionnantes et agréables. » Et des gens heureux, elle dit encore : « Ils ont une meilleure hygiène de vie… ils ont tendance à occuper des emplois plus stables, à connaître des mariages durables et ainsi de suite. »

Une dernière chose que vous feriez bien de garder à l'esprit. En mars 2011, le site *Science Daily* publiait un article dans lequel il était dit : « L'examen de plus de 160 études sur des sujets humains et des animaux a fait ressortir "des preuves claires et convaincantes" indiquant que, toutes proportions gardées, les gens heureux ont tendance à vivre plus longtemps et en meilleure santé que leurs pairs malheureux. »

SOYEZ À L'ÉCOUTE DE VOS ANGES

En raison des autres changements qui affectent la planète, la chance vous est donnée d'interagir davantage avec vos proches qui sont passés dans d'autres dimensions — et ce n'est pas du boniment nouvel âge, c'est bel et bien vrai! Vous pourriez vous-même être entré en contact avec eux, que ce soit de façon consciente ou semi-consciente. En lisant sur le phénomène, vous deviendrez plus conscient et moins craintif quant à la possibilité qu'il se manifeste dans votre vie. Si vous êtes moins craintif, vous serez plus à même de découvrir par vous-même les merveilles d'un contact avec l'Au-delà. La connaissance est littéralement synonyme de pouvoir.

Parfois, ces êtres nous donnent quelques conseils sur notre santé et nous servent certains avertissements. Pour sa part, Shelly a reçu de son ange un diagnostic complet!

On étudiait mon cas quant à la possibilité que j'aie contracté un cancer, notamment la leucémie... Mon guide Argus m'a alors dit que j'avais la fibromyalgie. Je me suis emportée et je leur ai dit que s'ils pensaient se sauver ainsi avec ma vie, ils se mettaient le doigt dans l'œil. On m'a finalement diagnostiqué une fibromyalgie, tout comme mon charmant guide me l'avait dit. — **SHELLY**

Une fois, j'ai été réveillée par une voix qui me disait : «Mange des pommes grenades.» Était-ce un message de l'Au-delà? Il n'y avait assurément personne d'autre que moi dans la maison à l'époque. Malheureusement, je ne peux pas supporter ce fruit, mais j'ai goûté au jus, et c'était buvable. J'ai recherché les propriétés du fruit sur Internet et j'ai été surprise d'apprendre que «la pomme grenade est considérée comme un type de nourriture médicamenteuse.» Les racines de l'arbre, l'écorce, les feuilles, les fleurs, la couche extérieure et les graines sont considérées comme des médicaments depuis des milliers d'années ! Dans l'Inde ancienne, la pomme grenade était décrite comme un aliment léger et un tonique pour le cœur ! Qu'est-ce que j'aimerais pouvoir l'apprécier ! Dans les temps bibliques, ce fruit était considéré comme un cadeau des dieux. La pomme grenade est riche en vitamines A, C et E, trois principaux antioxydants qui aident à prévenir les maladies cardiaques et les cancers. Je me suis du moins employée à augmenter ma consommation de ces vitamines en particulier.

Avez-vous déjà reçu des conseils d'ordre diététique de la part d'un esprit ou d'un ange ?

Je me demandais pourquoi je ne me sentais pas bien, et c'est alors que mon ange gardien m'a dit que je devrais boire plus d'eau. Ils m'ont également suggéré d'ajouter du jus de citron à mes salades. Or, il se trouve que je fabrique des huiles de massage, et j'ai eu envie d'y rajouter du citron également. Lorsque j'ai lu sur le citron, j'ai été étonnée de voir à quel point il possédait toutes les propriétés qu'il me manquait.

Depuis que je m'en remets à mes anges, je me sens beaucoup plus attirante. Nous devons vraiment prêter attention aux conseils extraordinaires qui nous viennent de l'Au-delà, ou devrais-je plutôt dire « d'autour », car j'ai l'impression que les anges sont tout le temps autour de nous, qu'ils nous guident sur notre chemin. — AMANDA

Voici un autre exemple, cette fois de Karen, une amie Facebook. Les anges sont vraiment occupés à nous prodiguer des conseils diététiques, on dirait.

Tout récemment, John (mon guide) m'a conseillé de manger des cerises, et je ne peux plus faire les courses sans en acheter quelques-unes. Je n'ai jamais vraiment raffolé des cerises, mais je ne sais pourquoi, je les trouve maintenant délicieuses et je n'en ai jamais assez. Normalement, j'optais pour des fraises ou des bananes lorsque je sortais acheter des fruits. Je souffre d'arthrite aux genoux et aux mains, et j'en ai même eu dans mon cou et dans ma colonne vertébrale pendant un certain temps. Quelques semaines après que mon guide m'eut suggéré de consommer des cerises, j'ai découvert qu'elles étaient bonnes pour l'arthrite. — KAREN

L'AVENIR DE LA PLANÈTE

Beaucoup d'êtres, y compris les défunts que nous aimons, nous rendent visite pendant que nous dormons. Parfois, vous vous souviendrez de quelques-unes de ces expériences, mais d'autres fois, vous vous en souviendrez très peu. L'information qu'ils nous apportent est importante, mais il n'est pas nécessaire de nous en rappeler à ce moment-ci. Voici un exemple de ce phénomène en action.

Vendredi dernier, ma grand-mère m'a rendu visite pendant que je dormais. C'est frustrant parce qu'au réveil, je ne me souvenais plus de ce qu'elle voulait me dire. Puis, hier soir, quand ma fille et moi sommes rentrées à la maison, nous pouvions toutes deux sentir son parfum; c'était réconfortant, mais je me sens comme si elle essayait de m'envoyer un message que je n'arrivais pas à saisir.
— HANNAH

Certaines informations nous parviennent sous forme de symboles (formes géométriques), chacun d'eux renfermant une mine d'informations. À l'avenir, les changements planétaires feront en sorte que cette information se rendra jusqu'à nous et nous en viendrons à nous demander comment il se fait que nous sachions tout ça. En fait, l'information nous aura été donnée pendant que nous dormions… nous nous en souviendrons au moment opportun.

Nous sommes tellement plus que nous l'imaginons. Notre monde ne peut aisément être expliqué par la science, mais ce n'est la faute de personne — c'est simplement qu'il y a tellement plus en ce moment que ce que la science se met tout juste à explorer… mais c'est déjà un début! N'allez pas croire que parce que la science ne peut actuellement expliquer quelque chose, cela signifie qu'elle n'est pas vraie. Il n'y a pas si longtemps, nous pensions que la Terre était plate… Mais vous savez quoi? Elle ne l'a jamais été! Alors gardez l'esprit ouvert face à toute chose. Soyez prêt pour le changement. Ce n'est qu'une question de temps avant qu'on nous annonce que, oui, bien sûr, il existe des êtres dans d'autres mondes. Nous ne sommes pas seuls! Il y a vraiment quelque chose là-haut… et cela a toujours été.

Voici une fabuleuse histoire. Elle illustre bien le type de communication que quelques-uns de mes lecteurs commencent à recevoir. Ce sont des rêves évocateurs où l'on nous rappelle notre mission de vie (tout en conservant notre libre arbitre, bien sûr!).

Je dormais dans mon lit quand, tout d'un coup, je suis tombée. Mon ange gardien m'a prise dans ses bras. J'étais un peu inquiète en le regardant, mais il m'a demandé si j'étais prête à le voir. Je lui ai dit que oui. Il m'a alors posée par terre et j'ai vu qu'il avait les cheveux noirs bouclés et des yeux bleus comme je n'en avais jamais vu. Il m'a dit que son nom était Egwelio.

Mon ange m'a ensuite pris la main et m'a dit qu'il voulait me montrer quelque chose. Nous sommes partis à toute vitesse en glissant sur le sol, puis je me suis retrouvée en face d'un grand bâtiment. Ça ressemblait à un théâtre, ou au Royal Horticultural Halls à Londres, là où les expositions « corps-âme-esprit » ont lieu.

Il a ensuite pointé vers le haut et mon nom était là-haut sur l'affiche. Il m'a dit que j'avais quelque chose de très important à faire, que je connaîtrais beaucoup de succès et que je serais très respectée si je suivais ses conseils.

Je semble maintenant me rapprocher du but. J'ai depuis reçu d'autres messages voulant que j'apporterais à la planète un nouveau système de guérison afin d'accueillir les nouvelles énergies qui s'en viennent. Elles vont recalibrer les champs énergétiques des gens, les changer et réactiver les hélices de leur ADN. » — LYNN

Quelle expérience incroyable ! Je m'estime chanceuse d'avoir pris conscience de ma « mission de vie » depuis déjà un certain temps. Le fait de rappeler aux gens que les anges existent n'était cependant que le début. L'avenir exigera de moi que j'enseigne des concepts beaucoup plus compliqués. Je ne risque pas de m'ennuyer. J'espère que vous vous joindrez à moi !

Nous sommes aussi en contact avec des êtres venus d'autres royaumes et d'autres planètes, certains d'entre eux venant même de notre « planète mère » ! Cela semble fou ? Les gens pensent toujours ainsi des choses qu'ils ne comprennent pas ! Plusieurs êtres provenant d'ailleurs se sentent seuls. Ils éprouvent une solitude intense à laquelle ils ne peuvent tout simplement pas échapper. Pourquoi nous sentons-nous ainsi, même quand nous sommes entourés par notre famille et nos amis ? J'ai de la chance parce que mon groupe d'âmes est cette fois-ci venu avec moi. Il suffit de savoir que la vie est éternelle : nous naissons, nous vivons, nous changeons de forme lorsque nous mourrons, puis notre esprit renaît. Les personnes avec lesquelles nous vivons sur Terre nous ont côtoyés dans des vies antérieures, et il en sera de même dans nos vies futures. L'énergie n'est jamais perdue ou détruite… mais elle change souvent de forme !

AIDE EN PROVENANCE DES AUTRES DIMENSIONS : DES ANGES QUI REVÊTENT UNE AUTRE FORME ?

Notre planète est en crise et, pendant des milliers d'années, des êtres provenant d'autres dimensions ont veillé sur nous. La question n'est plus de savoir « si » ils existent, mais « qui ils sont » ! Le fait de nier l'existence d'autres formes de vie serait faire preuve d'une extrême naïveté. Selon une source, plus de 400 employés au sein du gouvernement britannique, de l'armée et du renseignement auraient été témoins d'OVNI — des employés on ne peut plus respectables. Les astronautes ont, quant à eux, rapporté avoir vu des engins non identifiés les observer depuis les toutes premières missions spatiales.

Dès 2001 (le 9 mai pour être exact), plus de 20 personnes, dont des représentants du gouvernement et des témoins au sein de la défense et de la communauté scientifique, ont pris part à un événement au National Press Club à Washington, DC, afin de statuer sur la réalité de la vie extraterrestre. Le colloque reposait sur plusieurs témoignages de première main. La preuve accumulée est désormais colossale. La vie extraterrestre existe bel et bien, et ces êtres nous visitent comme ils l'ont toujours fait ; ils veillent sur l'humanité. Seraient-ils nos anges ? En quelque sorte ! L'usage de notre libre arbitre implique que nous avons en partie été autorisés à suivre notre propre chemin, à prendre nos propres décisions. Voici à ce sujet l'expérience d'une lectrice.

J'étais assise sur mon lit, parlant à mon frère au cellulaire et regardant en même temps à travers la fenêtre... comme il arrive à tout le monde de le faire. Je me souviens que c'était une belle journée, le ciel était bleu, et j'ai remarqué qu'un avion traversait le ciel. Puis c'était là, à la gauche de l'avion. Je me suis écriée : « Oh ! Mon Dieu ! Mais qu'est-ce que c'est que ça... dans le ciel ? » J'ai fait une pause et j'ai regardé, croyant à peine ce que je voyais.

Mon frère, à l'autre bout du fil, essayait de me questionner, de me parler, mais j'étais obsédée par cette chose dans le ciel. Je ne pouvais pas entendre ce qu'il disait. « Oh mon Dieu... c'est un OVNI ! », ai-je crié. Mes deux fils ont accouru, montant l'escalier en un éclair, puis ils ont regardé par la fenêtre. Il s'agissait d'une sphère dorée, volant parallèlement aux côtés de l'avion. Nous l'avons regardée pendant un moment. Puis elle a décollé à la vitesse de la lumière, beaucoup plus rapide que l'avion...

si vite que je n'ai même pas vu dans quelle direction elle allait.

Après cela, je suis allée à l'église comme je le fais normalement le dimanche. En chemin, je me suis arrêtée dans une station essence pour faire le plein. Quand je suis arrivée à la caisse, on m'a demandé : « Mettez-vous toujours ça dans votre voiture ? » Embarrassée, j'ai répondu oui, car c'était une chose tellement étrange à demander. Je me rappelle que la femme derrière la caisse avait les cheveux blonds et des yeux bleus extrêmement perçants. Elle a poursuivi : « C'est seulement que... nous avons été envoyés ici cette semaine pour vous aider. »

Je suis restée là et, aussi bête que cela puisse paraître, j'ai pensé : « Qui êtes-vous, un extraterrestre ou un ange ? » Tout semblait si étrange. Les gens de la ville paraissaient tous si égarés, comme s'ils étaient à des kilomètres de distance.

Mais la nuit venue, tout était encore plus étrange. Je me suis réveillée, il faisait sombre ; j'étais couchée dans mon lit et j'étais paralysée, je ne pouvais pas bouger quoi que ce soit, sauf les yeux. J'avais le sentiment d'être « balayée du regard » par quelque chose que je ne voyais pas. C'était comme si quelque chose effectuait la numérisation de mon corps. Cela m'est arrivé à quelques reprises au cours de nuits différentes. Était-ce une rencontre du troisième type ? Ironie du sort, quand j'étais enfant, je rêvais de façon récurrente aux OVNIS. Et voilà que mes rêves deviennent réalité maintenant que je suis adulte... Simple coïncidence ? — STELLA

Troisième partie

Histoires d'anges : vos véritables expériences

Lisa : « *Si tu crois aux anges, alors pourquoi pas les licornes et les lutins, tant qu'à y être ?* »
Kent Brockman : « *Oh Lisa, tout le monde sait que les lutins se sont éteints.* »
TIRÉ DE L'ÉPISODE DES *SIMPSONS* « LISA, LA SCEPTIQUE » (1997)

Histoires de visitations

Tu m'as accordé ta grâce avec la vie,
Tu m'as conservé par tes soins et sous ta garde.

LIVRE DE JOB 10-12

Une visitation, au sens où je l'utilise ici, est une véritable visite d'un esprit ou d'un ange qui survient pendant nos heures de sommeil... mais parfois aussi quand nous sommes éveillés. Pour toute personne qui expérimente une telle chose, son caractère réel ne fait aucun doute, car l'expérience laisse une impression durable qui a peu en commun avec les rêves. Un être cher disparu ou un ange se présente à vous pendant que votre corps est endormi, mais votre esprit demeure éveillé et conscient.

Les mêmes thèmes tendent à revenir pendant ce genre de contact avec un esprit véritable. Vous pouvez passer en revue vos propres expériences de visitation. J'ai déjà abordé ces signes dans d'autres livres, mais pour plus de clarté, passons en revue les signes les plus communs.

- Au cours de l'expérience, vous avez conscience que vous ne dormez pas.

- Lors d'une rencontre avec un défunt, il est courant d'exprimer de la confusion quant au fait qu'il soit en vie. Vous direz par exemple : «Comment se fait-il que tu sois ici? N'es-tu pas mort?»

- Des amis humains pourront être accompagnés d'un ange ou d'un genre de guide spirituel tout au long de l'expérience (lesquels pourront leur signaler quand il est temps pour eux de partir et de retourner dans leur propre monde).

- Le défunt essaiera généralement de vous indiquer, d'une façon ou d'une autre, qu'il est toujours en vie, à quel point il se sent bien et qu'il est heureux dans sa nouvelle demeure céleste.

- Une personne pourrait se montrer plus jeune et plus en santé qu'elle ne l'était au moment de son décès. Les membres manquants auront regagné leur place, les organes malades seront intacts et exempts de toute maladie, d'excroissances ou de masses.

- Les messages sont généralement simples et rapides, mais ils ont normalement un sens similaire :

  — Je t'aime.

  — Je suis bien et en sécurité.

  — Arrête de t'en faire pour moi.

  — Je suis désormais en bonne santé (j'ai recouvré ma plénitude).

  — Je veille toujours sur toi.

— Je suis fier de toi.

— Je suis au courant de ce qui se passe dans ta vie.

— Félicitations ou bien joué !

J'ai passé un certain temps à interviewer les lecteurs et lectrices dont l'expérience est racontée dans les chapitres qui suivent. Vous obtiendrez ainsi un peu plus d'information sur ce qui s'est passé… en coulisses ! Jetons un coup d'œil à certaines de ces expériences tout simplement étonnantes.

Mon fils qui est aux cieux

Je ne suis pas vraiment sûre par où je devrais commencer cette lettre. Je n'ai jamais fait ça avant ! Mon nom est Paula. Il y a quelques semaines, là où je travaille, dans une maison de santé, on a fait une vente de bouquins et j'ai acheté trois de vos livres. J'ai toujours eu un intérêt pour les anges, et quelque chose dans ma tête me disait que je devais acheter ces livres. J'ai eu le sentiment, très fort, de connaître votre nom… mais je ne sais toujours pas d'où. Eh bien, j'ai acheté vos livres, et je ne pouvais pas croire ce que je lisais. Il y avait tellement de similitudes avec ma propre vie. À chaque chapitre, je me surprenais à dire : « Oh ! mon Dieu, c'est ce qui m'est arrivé ! » Je pourrais continuer pendant des pages et des pages à vous raconter mes expériences, mais je voudrais simplement en partager quelques-unes avec vous ; elles représentent tellement de choses pour moi. D'une certaine façon, je sais que vous les apprécierez !

Mon grand-père est décédé le 31 mars 1991. Quand j'étais petite, c'était comme un père pour moi, car mon propre père travaillait très souvent loin de la maison. Je crois fermement que l'esprit de mon grand-père est venu me visiter à plusieurs reprises ! Ces visites se sont produites sous forme de « rêves ».

La première visite s'est produite environ un an après sa mort, je me suis retrouvée dans ce que je peux seulement décrire comme une salle d'attente au paradis. Une femme est entrée dans la chambre et m'a dit : « Il sera prêt pour vous dans une minute, s'il vous plaît, faites attention à ce que vous dites, il est dans un état fragile. »

J'ai hoché la tête et elle a ouvert une porte. Au fond d'une longue salle blanche, j'ai vu mon grand-père assis dans un fauteuil à haut dossier devant une télévision. Je me suis approchée et me suis agenouillée à côté de la chaise. J'ai mis ma main sur le bras du fauteuil et il l'a attrapée fermement. Il semblait troublé par quelque chose, pas vraiment en colère, mais plutôt désespéré. Il s'est penché vers moi et m'a dit : Où est ta grand-mère ? Pourquoi n'est-elle pas venue me voir ? »

Je ne lui ai pas répondu, mais il a continué : « Qu'est-ce qui se passe avec ton frère ? Pourquoi fait-il du mal à la famille ? » À l'époque, mon frère connaissait des problèmes de drogue, mais mon grand-père n'en avait rien su avant sa mort.

Mon grand-père m'a ensuite demandé pourquoi je n'avais pas apporté ma petite fille pour qu'elle puisse elle aussi le voir. À ce moment, je me souviens avoir mis mon bras autour de lui pour le consoler (il avait encore la main sur mon autre main) et nous avons pleuré tous les deux. Je *l'ai rassuré, je lui ai dit que tout allait bien et qu'il n'avait pas à se faire de souci. Et sur ce, je me suis réveillée en pleurant. Ma main s'en est trouvée meurtrie pendant quelques jours par la suite. Le rêve m'a bouleversée parce qu'il m'a fait sentir pendant un bout de temps que mon grand-père n'était peut-être pas prêt à mourir quand il nous a quittés. Mais j'ai néanmoins continué à vivre... comme tout le monde.*

Je n'ai pas eu d'autres expériences avant 1993. J'étais tombée enceinte pour la troisième fois (j'avais déjà eu deux filles). Après dix semaines de grossesse, j'ai fait une fausse couche. J'étais anéantie ; même si j'avais déjà eu deux belles filles en bonne santé, ma douleur était énorme ! Deux mois plus tard, je me sentais toujours mal et je n'avais toujours pas eu mes règles. On m'a donc fait passer des examens. Tout de suite, on a détecté un battement de cœur, et c'était très fort. Bizarrement, l'échographie a démontré que j'étais encore enceinte. Les spécialistes pouvaient dire à partir du placenta que j'avais eu une grossesse gémellaire. C'était comme si on m'avait dit que j'étais enceinte, mais que je n'avais pas à subir les nausées. Je dois vous dire, Jacky, je n'avais jamais été aussi heureuse de toute ma vie. Ils m'ont demandé si je voulais connaître le sexe du bébé, et j'ai dit non ; je préférais avoir la surprise.

Quelques jours après, j'ai fait un autre rêve. Je marchais le long d'un chemin, vêtue de noir, et il y avait beaucoup de gens autour de moi. Ils me disaient combien ils étaient désolés, mais je ne comprenais pas pourquoi. Quand je suis arrivée à la fin, j'ai vu le plus petit cercueil blanc que je n'avais jamais vu, et sur le dessus, une petite plaque blanche sur laquelle était écrit « Alistair ». J'ai alors compris que je disais au revoir à l'enfant que j'avais perdu, mais je ne savais pas qui l'avait nommé Alistair ; même s'il me plaît, ce n'est pas un nom que j'aurais choisi. Tout de même, j'ai commencé à m'énerver, mais quand j'ai levé les yeux, j'ai aperçu mon grand-père qui se tenait en face de moi, l'air heureux, jeune et en bonne santé. Il a jeté ses bras autour de moi et il a dit : « Tout va bien maintenant, Paula. Je comprends ce qui s'est passé et je suis heureux. » C'était le moment qu'avait choisi mon grand-père pour me rassurer. Il a dit : « Je ne veux pas que tu t'inquiètes au sujet de ton fils. Il va naître en bonne santé. »

Encore une fois, je me suis réveillée en pleurant. Mais cette fois, j'étais heureuse. Mon grand-père était heureux et je savais maintenant que j'attendais un fils. Ce n'était pas ce qu'on pourrait appeler une grossesse facile, j'ai failli perdre mon fils deux fois, mais à la fin, Adam est né à peine deux semaines prématurément, et c'était l'accouchement le plus détendu de tous ceux que j'ai eus.

J'ai maintenant quatre enfants, trois filles et un garçon, et au fil des ans, j'ai remarqué que dans les photos de mes enfants, il y a toujours un vide, comme s'il manquait quelqu'un. Même si j'ai subi quatre fausses couches, d'une certaine façon, j'ai toujours su que ce vide correspondait à l'endroit où Alistair aurait dû être.

Chaque Noël et à l'anniversaire d'Adam, je pense à Alistair. L'an dernier, sans crier gare, j'ai fait un autre rêve. J'étais dans une autre salle d'attente et une femme est entrée dans la chambre et m'a dit : « Si vous restez assise là, il sera avec vous sous peu. » Je me suis assise sur une simple chaise en bois et, quand j'ai levé les yeux, j'ai vu quelqu'un en face de moi que j'ai d'abord confondu avec Adam. En regardant de plus près, j'ai vu que ses cheveux étaient plus longs et bouclés. Il était un peu plus mince et ses traits étaient légèrement différents. Je me suis approchée, j'ai posé ma main sur son épaule, et j'ai dit : « Alistair ? » Il a hoché la tête et une grosse larme a roulé sur sa joue, malgré qu'il souriait. Nous nous sommes serrés dans nos bras pour ce qui semblait être une éternité. J'ai pleuré et je lui ai dit combien j'étais désolée de ne pas l'avoir connu. Mais il m'a assuré que j'apprendrais à le connaître un jour. Je me suis réveillée ce matin-là avec une sensation de fraîcheur et de bonheur, et je remercie Dieu de m'avoir permis de voir le fils que j'avais tant pleuré.

Je suis convaincue que ces « rêves » sont plus que de simples rêves. Je m'en souviens si clairement, et si en détail. Je ne sais pas pourquoi j'ai cette chance, mais je suis heureuse de pouvoir vivre ces expériences. Je sais que mes anges sont autour de moi. Je n'ai pas peur de mourir et je suis impatiente de voir ce à quoi ressemblera mon paradis. Merci, Jacky, pour vos livres. Je ne me sens plus la seule à être comme ça. — **PAULA**

Notre sœur jumelle est toujours parmi nous

Je viens d'une famille de huit enfants (cinq filles et trois garçons) et je suis la fille aînée (et la troisième plus âgée des enfants). Mes deux sœurs cadettes (des jumelles) sont nées un peu plus d'un an après moi. La plus jeune des jumelles (Vicky) est décédée il y a environ 12 ans alors qu'elle n'avait que 41 ans. La famille était dévastée, car elle était une sœur et une fille très appréciée.

Le lendemain de sa mort, la famille s'est rassemblée pour procéder aux arrangements funéraires et, à la fin de la journée, mon père semblait très affecté. Il s'est retrouvé à l'hôpital, car tout le monde pensait qu'il avait eu une crise cardiaque ; apparemment c'était le stress et l'anxiété, alors nous avons été soulagés d'apprendre qu'il était finalement sain et sauf. Mon père n'a jamais vraiment cru aux anges, mais il nous a dit que cette nuit-là, tandis qu'il était allongé sur son lit d'hôpital, il a ouvert les yeux et a vu ma sœur qui se tenait à ses côtés. Elle a touché son visage et lui a dit qu'il ne devrait pas être triste parce qu'elle se trouvait dans un endroit charmant, en compagnie de maman, et que tout irait bien. Il nous a dit, qu'au début, il pensait que c'était juste un rêve, mais maintenant, il n'est pas si sûr. Il la sentait, la voyait et savait au fond de son cœur qu'elle était avec lui.

Pendant plusieurs jours après le décès de Vicky, je ne pouvais pas bien dormir parce que j'étais toujours en train de pleurer. Puis un soir, alors que je pleurais son absence, je me suis rendu compte qu'elle ne nous avait pas quittés, car je sentais sa présence dans la chambre. Je l'ai même entendue me dire « chut » et je l'ai sentie tapoter ma tête jusqu'à ce que je m'endorme. Après cela, j'ai commencé à dormir plus paisiblement ; je savais qu'elle allait bien.

Elle nous manque tous encore beaucoup et ma fille aînée la voit tout le temps ; non pas comme une personne physique, mais elle voit son esprit et a même des conversations avec elle.

Chaque fois que nous avons des réunions de famille, on allume une bougie à sa mémoire et on sait qu'elle est là, car nous sentons et ressentons sa présence. Je suis allée *voir une médium (qui était magnifique) et elle m'a dit que ma sœur était pleine de vie, d'amour et du désir d'en apprendre de plus en plus sur tout. Elle m'a aussi dit que ma sœur (et maman) serait toujours là pour s'occuper de nous quand nous en aurions besoin.*

Je sais que cela est vrai car un soir, alors que je conduisais sur une route (une sombre route déserte que je n'avais jamais empruntée auparavant), j'ai commencé à m'inquiéter du fait que j'avais manqué ma sortie et je sentais la panique s'emparer de moi. J'ai demandé à maman et à Vicky de m'envoyer un signe, et voilà qu'une colombe blanche (ce qui est très rare le soir) est passée tout d'un coup devant mon pare-brise. Je les ai remerciées toutes les deux et j'ai continué ma route en toute sécurité, sachant qu'elles veillaient sur moi. — **PAMELA**

Bouton d'infirmière et autres signes

J'ai toujours été intéressée par l'Au-delà. J'ai commencé à lire les livres de Doris Stokes (une médium aujourd'hui décédée) il y a de ça des années. J'avais l'habitude de discuter avec ma mère des livres que je lisais. Les années ont passé et ma mère est tombée malade. À plusieurs reprises, elle m'a confié avoir peur... pas de mourir, mais de ce qui arrivait après. J'ai essayé de la rassurer en lui disant que mon père, qui avait disparu depuis plusieurs années, serait là avec des membres de sa famille, et qu'elle ne serait pas seule.

Maman m'a dit que si c'était possible, elle trouverait le moyen de me faire savoir qu'elle était saine et sauve, sans me faire peur, et nous en sommes restées là. La santé de maman s'est ensuite détériorée si bien que l'hôpital nous a appelés. Mon frère, mon beau-père et moi nous sommes précipités à son chevet. Maman nous a quittés peu après. Tandis que nous étions regroupés au pied de son lit pour lui faire nos adieux, une infirmière a appelé et a demandé si tout allait bien. J'ai dit oui et elle m'a répondu que quelqu'un avait appuyé sur le bouton situé à l'arrière du lit de maman, servant à appeler l'infirmière. Aucun d'entre nous n'était à côté de ce bouton. Nous nous sommes alors tous demandé : est-ce maman qui nous fait signe ? Nous espérions que oui.

Peu de temps après le décès de maman, j'ai fait un rêve très intense où je me trouvais dans une grande salle avec beaucoup de gens. Ma mère était là, qui marchait en ma direction, aussi réelle que vous et moi, et elle avait plutôt bonne mine. J'en étais estomaquée, mais maman est venue vers moi et elle m'a dit : « Tu n'as rien à craindre. Lorsque le moment sera venu, prends ma main et suis-moi. » Je me suis réveillée en pleurant. Était-ce seulement un « rêve » ? Suis-je en train de devenir « fêlée », comme disent mes enfants quand je leur raconte ce qui s'est passé ? Je ne pense pas.

Quand j'ai commencé à aller à l'église spiritualiste de ma localité, je me souviens m'être une fois retrouvée seule à la maison. Je faisais le ménage et je me suis arrêtée devant la photo de maman en haut de l'escalier. J'ai dit : « Regarde, maman, je vais à l'église spiritualiste ce soir. Si tu es capable, peux-tu essayer de me donner un signe, de me montrer que tu es là ? » J'ai poursuivi mon nettoyage, puis je suis redescendue dans la cuisine. Eh bien, l'horloge *qui était au-dessus du lavabo est tombée du mur. Pourtant, le clou était encore dans le mur, et elle n'était jamais tombée avant ni depuis. Était-ce là un autre signe ?*

Ma mère n'a jamais eu l'occasion de voyager à l'étranger. Elle aimait le soleil et elle avait même un passeport, mais elle n'a jamais eu à l'utiliser. J'étais en Turquie ce mois-là avec mon mari et je me suis trouvée à discuter avec des personnes âgées. Je leur disais que c'était agréable de les voir profiter du soleil et combien ma mère aurait aimé être là.

Plus tard ce jour-là, j'étais au lit quand j'ai rêvé que j'étais assise à une table avec mon mari et ma fille. Nous étions réunis dans une même pièce quand maman est entrée. Mon mari pouvait la voir, tout comme ma fille. Maman a fait le tour de la table. Elle s'est postée derrière moi et j'ai pu sentir ses bras m'envelopper. J'ai ressenti un amour énorme, et c'était si réel ! Puis je me suis réveillée à nouveau, les yeux humides.

Plus tard, j'ai parlé à haute voix en disant : « Maman, si c'était toi, envoie-moi un signe… un papillon. » Les jours ont passé et je suis demeurée à l'affût, attendant qu'un papillon attire mon attention, mais rien ne s'est produit. C'est alors qu'un jour où j'étais étendue au soleil, une femme s'est assise devant moi, un papillon tatoué sur le dos. C'était un papillon coloré absolument magnifique. Mes enfants en rient, mais j'aime à penser que maman est toujours là avec moi. Quand mon tour sera venu, elle sera là pour me tenir la main, comme elle l'a promis. — **LESLEY**

Sabots pour voitures

Mon frère cadet, Clinton Berry, est décédé le 23 novembre 2007. Il venait d'avoir 39 ans le 2 novembre. Deux semaines auparavant, il avait subi un accident vasculaire cérébral très rare et d'une extrême sévérité.

Clint et moi étions très proches pendant notre enfance. Seulement 18 mois nous séparaient. Puis je me suis mariée deux fois et j'ai eu quatre enfants. Clint avait connu une série de relations, dont quelques-unes heureuses, mais malheureusement, aucune ne lui avait permis d'avoir d'enfants. Chaque fois que Clint était malheureux, ou qu'il avait besoin d'une épaule sur laquelle pleurer, il venait vers moi. Il aimait tendrement papa et maman, mais parfois, il ne voulait pas partager ses soucis avec eux, de peur de les inquiéter. Donc, de temps en temps, il débarquait chez moi ; il était toujours accueilli à bras ouverts.

Depuis son décès, il y a eu beaucoup de petites choses pour nous faire croire qu'il n'est pas bien loin. J'avais à l'époque une BMW, et quelques fois, quand ma fille Sarah se trouvait dans l'auto, la radio se mettait soudainement à jouer très fort au début ; elle nous faisait entendre la chanson Valerie. Il n'y avait rien pour expliquer cela — on a cherché partout ! Valerie, la version chantée par la regrettée Amy Winehouse, se mettait à jouer dans des moments importants, et d'autres chansons que mon frère aimait se mettaient également à jouer en temps opportun. On pouvait les entendre dans les magasins ou dans la voiture à l'instant où nous parlions de lui. Maman et moi trouvons souvent des plumes blanches, et nous avons un merle qui vient nous dire bonjour quand je suis dehors.

Il y a quelques semaines, je me trouvais à la bibliothèque de ma localité avec ma famille. Ma plus jeune sœur a voulu s'asseoir près de la fenêtre afin de regarder les BMX des cyclistes par la fenêtre. Je me suis assise sur une chaise avec elle et, au bout de quelques minutes, je me suis sentie attirée vers une section de la bibliothèque juste à côté de moi, une section où je ne suis jamais allée. J'ai passé les rayons en revue, et c'est à cet instant que votre livre m'est apparu. C'est le seul livre que j'ai pris, et je savais que je devais le lire. Deux choses se sont produites tandis que je lisais votre ouvrage. La première, c'est que j'ai raconté à ma belle-mère que j'avais demandé à Clint de me transmettre six numéros chanceux. Ce soir-là, j'ai ouvert le livre, et la première chose que j'ai lue, c'est vous qui étiez en train de raconter comment nos proches peuvent nous aider avec des choses comme ça !

La deuxième chose, c'est d'avoir reçu un signe encore plus patent de Clint. J'avais lu sur les expériences oniriques et je lui ai demandé d'essayer. Deux jours plus tard, j'ai fait un rêve... J'étais allée à un enterrement que j'avais contribué à organiser, et tout c'était plutôt bien passé. Quand je suis rentrée à la maison, il y avait beaucoup de voitures garées dans mon entrée. Je ne pouvais tout simplement pas me stationner. Il y avait des gens debout dans le jardin et je leur ai demandé de déplacer leurs voitures. Tout ce qu'ils ont fait, c'est de rigoler, alors j'ai répondu : « Il y a quelqu'un que je peux appeler qui se fera un plaisir de mettre un sabot à vos véhicules. » Je tenais mon *cellulaire dans ma main et j'avais commencé à composer un numéro, quand je me suis dit : « Je ne peux pas appeler Clint, il est mort. » Puis, très distinctement, j'ai entendu mon frère me parler comme s'il se tenait en face de moi. Il a dit que je n'avais pas besoin de mon téléphone, que je pouvais lui parler tout le temps, qu'il était toujours à côté de moi quand j'avais besoin de parler. J'ai pleuré dans mon sommeil et ça m'a réveillée. Le rêve était si réel, sa voix aussi claire que n'importe quoi d'autre.*

Je crois que c'était Clint qui me donnait un signe évident. Il avait travaillé comme huissier pendant des années, fixant des sabots aux voitures de ceux qui ne payaient pas leurs amendes de stationnement. Ma mère a une vidéo de Clint lorsqu'il est apparu à Watchdog *pour parler des sabots pour voitures, une émission que maman regarde régulièrement.*

J'ai envoyé votre livre Angels Watching Over Me *à ma mère. Elle apprécie chaque mot que vous écrivez et je pense que vous lui avez donné le réconfort et la tranquillité dont elle avait besoin, à savoir que son petit garçon est en sécurité et qu'il ne nous a pas complètement quittés. Je vous remercie de tout mon cœur pour ce que les anges vous ont transmis. Que Dieu vous bénisse.* — LOUISE

Joyeux Noël

Bonjour Jacky, j'ai senti que j'avais besoin de vous écrire après avoir lu deux de vos livres, et je suis en train d'en lire un troisième. Ces livres m'ont apporté tant de réconfort au cours des derniers mois. Dernièrement, j'ai souffert de dépression et j'ai dû consulter un psychologue

après le décès de mes deux parents, que j'aimais tant. Mon père est subitement décédé à l'hôpital en mars dernier, alors qu'il n'avait que 64 ans. Cela a bouleversé notre monde. De plus, ma mère était à l'hôpital en même temps, et c'est à mes deux sœurs et moi qu'est revenue la tâche de lui annoncer la nouvelle.

Maman ne pouvait pas envisager de rentrer seule chez elle, alors elle est venue rester avec moi, faisant sa propre dialyse à partir de la maison (elle n'avait plus de reins). Même si j'étais là pour m'occuper d'elle, maman a sombré dans une profonde dépression et, 12 semaines après le décès de papa, je me suis réveillée un matin pour découvrir qu'elle était morte dans son sommeil.

Ma vie a tellement changé, nous étions une famille si unie. On se voyait tous les jours et on passait chaque Noël ensemble. Lors du dernier réveillon de Noël, nous en étions à notre première année sans eux. Je n'ai pu m'arrêter de pleurer toute la journée et je n'avais pas hâte de voir ce que seraient les festivités à venir. Quelques semaines avant Noël, je suis allée à l'église spiritualiste de ma localité et mon père m'a envoyé un message pour me dire de continuer à célébrer comme d'habitude, qu'ils seraient là avec nous.

Le matin de Noël est arrivé et, comme toujours, nous nous sommes réveillés à l'aube avec nos enfants. Mon conjoint Craig et moi étions à la cuisine en train de préparer le thé, quand tout d'un coup, une lumière s'est mise à briller sur notre téléviseur portatif; je peux vous assurer qu'il n'était pas branché. Tout de suite après, nous avons entendu frapper à la porte. Je suis allée voir qui c'était, mais il n'y avait personne.

Je crois vraiment, et mon conjoint aussi, que mes parents voulaient que nous sachions qu'ils étaient là pour passer la journée avec nous. Ça m'a apporté tellement de réconfort. J'ai pu profiter du reste de la journée, car je savais que mes parents étaient à mes côtés.

J'ai eu des tas d'autres expériences… trop nombreuses pour pouvoir toutes les mentionner, mais j'ai entendu mon père crier le nom de mon conjoint quand il s'est levé une nuit pour aller aux toilettes, même si mon conjoint ne l'a pas entendu. Un matin où nous nous étions rendormis après la sonnerie du réveil, j'ai entendu maman m'appeler par mon nom. Je pense que c'était parce qu'elle savait que nous devions nous lever pour aller travailler ! J'ai toujours cru à l'Au-delà, Jacky, mais j'y crois encore plus aujourd'hui. Je peux maintenant continuer ma vie en sachant que mes parents sont tout près de moi, dans la chambre à côté, et que lorsque mon tour sera venu de déverrouiller cette porte, je pourrai alors retrouver mes merveilleux parents et tous les autres proches que j'ai connus. — ANTHEA

Bonjour de la part de Madame B

Bonjour Jacky. Je vous écris juste après mon retour de vacances, alors que les valises ne sont toujours pas défaites et qu'elles traînent encore dans le couloir. Ma belle-sœur Judy et son mari Paul sont venus en vacances avec ma femme Karen et moi, ainsi que Ruth, notre fille, et Rebecca, notre petite-fille.

Je sais que Judy s'ennuie profondément de sa mère depuis qu'elle est morte il y a deux ans. D'ailleurs, elle

nous manque tous, puisqu'elle était comme une mère pour moi depuis l'âge de 13 ans. Je sais que Judy est contrariée de ne pas avoir reçu de message de la part de sa mère. Lorsque nous étions en vacances, Judy m'a proposé de lire un de vos livres. Dès que j'ai commencé à le lire, je n'ai pas cessé de hocher de la tête, car j'étais d'accord avec tout ce que vous disiez ; c'est que la plupart des choses que vous racontez dans le livre me sont personnellement arrivées. Depuis que je suis tout jeune, je fais des rêves que je sais ne pas être des rêves normaux ; des rêves à propos de personnes qui sont décédées la nuit de mon rêve — quand le téléphone sonne ou que je rencontre quelqu'un qui était près d'eux, je sais à l'avance ce qui sera dit. À l'exception de mes proches, j'ai toujours gardé ces choses pour moi-même (j'ai même essayé de ne plus en avoir).

Voici d'autres exemples. Quand ma mère est morte, j'étais en mille morceaux. Avec ma sœur Ann, nous en avions pris soin parce qu'elle voulait mourir à la maison. J'ai soulevé ma mère pour que ma sœur puisse changer sa literie, et elle est presque morte dans mes bras. Elle avait été « absente » toute la journée mais, quand je l'ai recouchée dans son lit, elle a ouvert les yeux et a regardé avec enthousiasme quelque chose dans le coin de la chambre. Elle s'est retournée et m'a regardé un instant, puis elle a tourné les yeux vers le coin de la pièce une fois de plus. C'est à ce moment-là qu'elle est morte.

Ce soir-là, je promenais mon chien dans un parc à proximité de chez moi. J'ai levé les yeux vers les étoiles et j'ai dit : « S'il te plaît, maman, fais-moi savoir que tout va bien pour toi ». Ensuite, j'ai eu le sentiment d'être propulsé à travers les étoiles ; elle poursuivait son périple, mais n'était toujours pas arrivée à destination. Le lende-main matin, je me suis réveillé et j'ai fait de mon mieux pour présenter un visage courageux à mes enfants. J'ai regardé la télé et j'ai vu aux infos un reportage sur la découverte d'un charnier en Russie. Comme mon ouïe n'est pas très bonne, encore plus avec le bruit de fond que faisaient les enfants, je ne pouvais pas entendre ce qui se disait, mais j'ai ressenti de la tristesse à la vue de ces familles qui pleuraient leurs membres disparus à proxi-mité du charnier. C'est à ce moment que je suis allé à la cuisine pour préparer une tasse de thé, et j'ai alors entendu la voix de ma mère qui disait, très distinctement : « C'est maman. Tout va bien. »

J'ai rapidement regagné le salon, question de voir si les enfants avaient changé la chaîne de télévision (ce n'était pas le cas). C'est l'un des nombreux messages que j'ai reçus de ma mère. J'ai parlé avec elle dans mes rêves, j'ai entendu des chansons spéciales à la radio, etc.

Pour en revenir à Judy, j'avais surnommé sa mère, il y a de ça plusieurs années, « Madame B ». Peu de temps après sa mort, j'ai fait un de ces rêves... bref, vous savez le genre de rêves dont je parle. Dans ce rêve, j'ouvrais une porte et je descendais quelques marches qui menaient à ce qui ressemblait à une salle vide, à l'exception de vieux rideaux de style « hôpital ». J'ai regardé en bas des rideaux, et je pouvais voir des jambes recouvertes par un ancien uniforme de type « auxiliaire d'hôpital », d'une couleur jaune moutarde.

J'ai tout de suite su que c'était Madame B. Je l'ai appelée à haute voix : « Madame B ! » Puis le rideau s'est ouvert, et elle était là qui me souriait : « Salut Ant ! », *m'a-t-elle dit. Je lui ai demandé si elle allait bien. Elle m'a assuré que oui, et elle m'a souri. Puis, je lui ai demandé si je pouvais la toucher. Elle m'a dit que je pouvais. J'ai pris sa main et je me suis rapproché d'elle. Puis, sans demander, j'ai posé mes bras autour d'elle pour la serrer contre moi, et je me suis penché pour lui donner un baiser sur la joue. Mais elle est tombée à la renverse et moi je suis tombé par en avant, disparaissant dans un genre de brouillard nuageux. Je pouvais voir un petit visage (comme ces visages d'extraterrestres que les gens voient), mais celui-là était minuscule. J'ai bondi vers l'arrière et il y avait, encore une fois, Madame B. « Vous n'êtes pas censé faire ça, Ant ! », m'a-t-elle réprimandé. Je me suis excusé, mais elle m'a dit que c'était correct, que je ne devais pas m'inquiéter à ce sujet. Je ne me souviens pas vraiment d'autre chose.*

Votre livre dit vrai sur tellement de choses. Comme vous le dites si bien : demandez-leur de venir mais assurez-vous de le faire de la bonne façon. Je l'ai fait, et j'ai invité Madame B. Même si je ne la voyais pas, je savais qu'elle était là. Je lui ai parlé de Judy et je lui ai demandé si elle pouvait lui envoyer quelques signes.

Juste avant la fin de nos vacances, Judy m'a dit que Ruth avait perdu un petit bracelet de cheville et un chapeau. Judy était triste que ce soit arrivé et elle l'a fait savoir à plusieurs reprises. Pour quelque raison, je feuilletais des magazines dans la chambre d'hôtel de Judy, et c'est alors que le bracelet de cheville a glissé d'une des pages. Le lendemain, c'est le chapeau qu'on a retrouvé dans sa chambre. J'ai dit à Judy que je croyais que c'était un message de la part de sa mère, et que, pour quelque raison, elle n'était pas en mesure d'établir le contact au moyen des rêves

pour le moment. Le chapeau et le bracelet de Ruth ont été vus pour la dernière fois dans notre chambre, alors comment voulez-vous qu'ils se soient retrouvés dans la chambre de Judy (qui était à l'autre bout de l'hôtel) ?
— Anthony

Dans mes livres, je vous conseille de demander à vos proches qui sont disparus de vous visiter en rêve — ou du moins d'essayer, et s'ils n'y parviennent pas, d'essayer auprès d'autres membres de la famille (avec leur autorisation) à la place ! J'ai découvert que cela aidait si vous parlez à une photo du défunt (de préférence une qui évoque un bon souvenir) ou, à défaut, tenez dans vos mains un objet qui leur appartenait tandis que vous pensez à eux. Quelques-uns réussissent parfaitement en visualisant le visage du défunt et en parlant à cette vision dans leur esprit. Vous pouvez aussi écrire à l'être décédé une lettre d'invitation lui demandant de vous rendre visite. Bonne chance !

Adieux chaleureux

Mon histoire commence en septembre 1990. C'était la veille de mon entrée à l'université et je faisais mon dernier quart de travail dans un pub situé dans un petit village à environ 12 kilomètres de Chester. Je me souviens de ce pub pour de nombreuses raisons, mais cette nuit-là plus que tout autre.

Je travaillais à ce pub depuis l'âge de 13 ans. J'ai commencé à la cuisine, puis plus tard, j'ai commencé à servir aux tables. À l'âge de 18 ans, je me suis retrouvée derrière le bar. C'était une façon pour moi de gagner de l'argent afin de garder mon poney ! Maman et papa me l'avaient offert à condition que je travaille afin de payer pour lui. C'était mon cadeau d'anniversaire, et même s'ils étaient prêts à payer pour l'écurie et le pâturage, ils ont dit que je devais payer pour son entretien. Cela a été une grande leçon pour moi, car j'ai appris la vraie valeur des choses... et Dieu que j'accordais de la valeur à ce poney ! Mais travailler dans le pub était également une expérience fantastique. J'ai beaucoup appris sur les choses de la vie et j'y ai rencontré des personnes charmantes.

Une de ces personnes était Andy. Andy était un client régulier et nous en sommes arrivés à nous connaître assez bien. C'était un gars vraiment charmant et authentique... un peu rude au premier abord, mais d'une grande énergie et incroyablement poli. Il m'a raccompagnée à la maison à quelques reprises les fois où nous sommes demeurés ouverts après les heures normales, et ce, même si je vivais à huit kilomètres du pub, et lui, à cinq kilomètres encore de chez moi ! Il n'acceptait jamais que mon père le raccompagne chez lui en voiture, car il ne voulait pas l'importuner ! Il riait et plaisantait constamment. Il aimait profiter de la vie, faire de la moto, socialiser avec des amis, sortir dans les boîtes de nuit, jouer au billard, boire... un peu trop parfois ! C'est arrivé à plus d'une reprise qu'à l'heure de la fermeture, il semblait avoir disparu... jusqu'à ce qu'on le retrouve endormi sous la table de billard ! Il aimait le groupe Queen. Et si j'avais des ennuis avec des clients réguliers, des gens du coin ou des passants, il volait à mon secours.

Il était de taille moyenne... environ 1 mètre 80, de corpulence moyenne, avec des cheveux courts et foncés, et un visage rond (mais pas potelé). Ses yeux étaient remplis d'humour et de malice, et il semblait toujours avoir le sourire aux lèvres ! C'était un très beau gars ! Il aimait faire l'entretien de ses motos... il était dans la mécanique. Il avait un grand sens de l'humour et une joie de vivre.

Andy venait d'acheter une nouvelle moto et, en cette soirée particulière, il a offert à un ami d'aller faire un tour. Andy a prêté son casque à son ami et il a emprunté pour lui celui d'un autre habitué, Michael. Nous ne le savions pas alors, mais ce casque avait une fêlure tout le long de la tête.

Les gars sont sortis pour la balade, puis une couple d'heures plus tard, l'ami d'Andy est rentré au bar. Il semblait désorienté, et quand on lui a demandé où était Andy, il avait l'air confus et a répondu : « Je ne sais pas. »

Parce que nous étions tous inquiets, l'un des habitués du pub a décidé de prendre sa voiture et de partir à la recherche d'Andy, mais un peu plus tard, il a téléphoné à partir de l'unité d'accident et d'urgence locale pour nous dire qu'il y avait eu un accident... Andy était mort ! Comme vous pouvez l'imaginer, nous étions tous sous le choc ! J'étais en train de verser de la bière et j'ai tout échappé sur le plancher !

J'ai trouvé son décès très difficile à accepter ; il n'avait que 20 ans, et à ce moment-là, je ne croyais pas vraiment à la vie après la mort. Comment pouvait-on être si jeune et si plein de vie et, tout d'un coup, n'être plus rien et cesser d'exister ?

Eh bien, après cela, dire que j'étais perdue est un euphémisme ! J'ai adopté l'attitude : « Je pourrais être morte demain », et même si je ne croyais pas vraiment à la vie après la mort, j'ai essayé de surmonter cette épreuve en écrivant des lettres à Andy que je brûlais par la suite. Quand je dis que j'étais perdue, c'est que je buvais beaucoup trop. J'étais ivre la plupart du temps et je me souciais peu de ce que les gens pensaient de moi. Je ne pouvais pas supporter ma charge de travail à l'université et, par conséquent, j'ai échoué ma première année. C'était une vraie galère. La mort d'Andy m'avait tellement secouée que j'avais beaucoup de mal à m'en remettre.

Quoi qu'il en soit, quelques mois plus tard, je me trouvais au lit, endormie. Je m'étais couchée un peu plus tôt que d'habitude, et c'est alors que j'ai rêvé à Andy. Le rêve m'avait semblé si réel que, quand je me suis réveillée le lendemain matin, j'aurais juré que c'était vraiment arrivé! Je me trouvais au pub, dans le bar en tant que cliente, mais comme j'avais l'habitude d'y travailler, j'ai pensé que je pourrais aller faire un petit tour dans la cuisine pour leur dire bonjour. J'ai rêvé que j'entrais dans la cuisine, seulement elle était légèrement différente de ce à quoi elle ressemblait dans la vraie vie.

En rentrant dans la cuisine, je me suis rendu compte à quel point elle était tranquille, et vide, et qu'il y avait beaucoup d'ombres. Quand j'ai regardé sur le mur opposé, la zone à l'autre bout de la pièce était complètement éclairée et j'y ai aperçu Andy. Il était assis sur le rebord de la fenêtre. Comme il était dans une position plus élevée que moi, je devais lever la tête pour le voir, et je me souviens du sentiment de confusion que j'ai ressenti car il n'aurait pas dû être là! Andy était mort, alors comment pouvait-il être dans la cuisine? En fait, je lui ai même dit tout ça, et il a répondu que oui, il était décédé, mais qu'il était venu pour discuter avec moi et me faire savoir qu'il allait bien, qu'il n'avait pas souffert, car sa mort avait été quasi instantanée. Il m'a dit qu'il était heureux là où il était et qu'il avait accepté ce qui s'était passé, qu'il était en paix. Andy m'a aussi dit que je devais cesser de m'en faire au sujet de sa mort et que je devais recommencer à vivre ma vie. C'était une vraie conversation !

Andy était au courant de ma tristesse, de ma colère et de mon incapacité à accepter ce qui lui était arrivé. Il m'a dit que je n'avais pas à me sentir coupable pour la stupidité dont il avait fait preuve ! Il avait pris une mauvaise décision en tentant un dépassement à la jonction et il en avait payé le prix ! Il m'a demandé de le laisser aller et de recommencer à vivre ma vie et à m'amuser. Il m'a dit qu'il serait toujours là et m'a recommandé de me souvenir des bons moments passés avec lui.

Nous avons ensuite passé quelque temps à parler d'autres choses, ce dont je ne me souviens plus maintenant, mais quand je me suis réveillée le lendemain matin, je me sentais plus heureuse, plus légère et plus positive. Je savais que ce qui s'était passé n'était pas un rêve ordinaire. En fait, quand je me suis réveillée, j'étais à moitié persuadée d'être encore dans la cuisine en train de lui parler, car c'était si réel ! Il m'a fallu quelques instants pour me rappeler qu'il était mort.

Je pense qu'Andy est venu me visiter cette nuit-là parce que, même si nous n'étions pas « les meilleurs amis du monde », nous avions néanmoins une relation très étroite. Nous nous sommes plus dès la première rencontre. Nous avions beaucoup en commun et ça avait tout simplement « cliqué ». Je l'aimais beaucoup. Je pense qu'il a su, de quelque façon, que sa mort m'avait terriblement affectée, et il semblait vouloir m'aider à passer au travers.

Je continue de penser souvent à lui, mais maintenant, je me rappelle les bons souvenirs, plutôt que de me laisser aller aux regrets et à la colère, et il n'occupe plus constamment mes pensées. Je sais que son âme m'a réellement rendu visite, qu'il ne s'agissait pas d'un rêve ordinaire, et je suis reconnaissante encore aujourd'hui d'avoir connu une telle expérience.

Le décès d'Andy m'a portée à croire que la vie continue au-delà de ce plan d'existence. Je crois que nous sommes en constante évolution, que notre âme est vouée à un perpétuel apprentissage. La vie est comme une pièce de théâtre ; chaque décennie représente une scène, chaque vie un acte à elle seule. L'entracte, c'est quand on retourne à la conscience ; c'est notre intermède, le temps que nous avons pour réfléchir et où nous permettons aux autres acteurs de briller à leur tour.

La visite d'Andy m'a donné une énorme tranquillité d'esprit et m'a aidée à aller de l'avant. Elle m'a fait comprendre qu'il y avait plus que ce plan d'existence, et que, sous une certaine forme, Andy continuait de vivre. Au départ, je trouvais injuste qu'il soit mort si jeune, alors qu'il était plein de vie. J'ai eu du mal à accepter que tout d'un coup, en un clin d'œil, toute cette énergie et cette effervescence pouvaient cesser d'exister. Sa visite m'a fait comprendre qu'il n'avait pas cessé d'exister ; son énergie et son effervescence existaient encore, seulement sur un autre plan. Ne pas le voir physiquement ne veut pas dire qu'il n'est pas là. La visite avait été bel et bien réelle !

Même lorsque cela s'est produit, je savais que ce n'était pas un rêve « normal ». Tout était trop vivant et trop réel. Illogique, mais tout à fait logique en même temps !

Curieusement, il y a de ça quelques semaines, j'ai recommencé à penser à Andy, et le système d'alarme sur la voiture de mon conjoint s'est mis à partir sans raison, et ce, au beau milieu de la nuit ! Mon conjoint est médium et il entame une tournée avec deux autres médiums parapsychiques. L'un d'eux a dernièrement reçu un message pour moi de la part d'Andy. Il venait pour me saluer et me faire savoir à quel point il avait encore de l'affection pour moi. Mon conjoint a demandé si c'était lui qui était derrière le déclenchement du système d'alarme, et si oui, de bien vouloir arrêter ! Vous savez quoi ? Depuis ce jour, le système d'alarme de la voiture ne s'est pas déclenché une seule fois ! Typiquement Andy : toujours aussi farceur !

Honnêtement, je ne sais pas pourquoi il m'est revenu à l'esprit ! Je ne pense pas à lui régulièrement, et quand je le fais, c'est toujours avec tendresse. Peut-être que c'est parce que je suis dans une nouvelle relation après un long et amer divorce, il y a quatre ans. Je suis fiancée, enceinte de mon premier bébé et incroyablement heureuse ! Ma vie professionnelle est également au beau fixe. Je travaille trois jours par semaine pour le Service national de santé (NHS) comme podiatre, et trois jours pour moi-même, où j'offre des services de podologie, de réflexologie, de massages indiens à la tête et au visage, ainsi que d'autres thérapies.

Je crois vraiment aux anges ! Je crois que nous avons tous au moins un ange gardien, un ange qui n'est jamais bien loin. Je crois aussi que nous ne faisons tous qu'UN. Nous sommes ici pour apprendre certaines leçons que *nous avons choisies avant de nous incarner dans cette vie. Je crois que tous les gens que nous rencontrons dans la vie contribuent à nous enseigner ces leçons, même les gens qui nous traitent injustement ou de façon agressive. Il n'y a pas de rencontres ou d'événements fortuits. Bien sûr, nous disposons du libre arbitre, mais nous finissons tous par atterrir là où nous sommes censés être, au moment même où nous sommes censés y être.*

Je crois que lorsque nous mourons, ce n'est pas la fin, mais plutôt un état intermédiaire avant de prendre un nouveau départ. Un temps pour faire le bilan de notre périple, pour revenir sur les leçons apprises et les nouvelles questions qu'elles ont soulevées. Un temps pour soigner nos blessures et remercier ceux qui nous les ont infligées pour les leçons qu'ils nous ont enseignées et la force qu'ils nous ont donnée. Je pense qu'au lieu de pleurer un décès, on devrait le célébrer ! Rendre grâce pour la vie qui était, les souvenirs qui perdureront, et pour le fait que le défunt se trouve maintenant reconnecté à la plus grande source d'amour inconditionnel qui ne sera jamais !

Et Andy ? Sa mort m'a appris à vivre intensément chaque jour de ma vie, car on ne sait jamais ce qui nous attend dans le détour ; à apprécier chaque expérience que nous avons, qu'elle soit bonne ou mauvaise ; à regarder les choses comme si elles nous apparaissaient à travers les yeux d'un enfant, et de ne jamais prendre quelqu'un ou quelque chose pour acquis. Sa visite m'a surtout ouvert l'esprit et m'a fait comprendre que la vie continuait ; ce qui me remplit d'espoir quant à l'avenir de notre planète. La mort d'Andy m'a donné l'envie d'en apprendre davantage à propos des choses de l'esprit et des anges, et de m'initier à une approche plus holistique de la vie. Elle a nourri mon sentiment intérieur à l'effet d'être un esprit libre, et elle m'a permis de suivre mon cœur et d'être qui je suis censée être.

Je me suis quelque peu perdue en cours de route, mais même de cette période d'égarement j'ai appris tellement de choses, sans oublier que j'en suis revenue plus forte qu'avant ! Je pense que l'expérience de visitation m'a énormément aidée à l'époque, car elle m'a permis de passer à autre chose, sans culpabilité, regret ou colère. Elle m'a aidée à me remettre sur pied, de sorte que je puisse poursuivre mes études et terminer mon cours.

Chaque événement a son effet domino. Mon travail m'a ouvert beaucoup de portes et m'a offert des opportunités que je n'aurais sans doute jamais eues autrement. Il m'a amenée à rencontrer des gens que je n'aurais jamais rencontrés et qui ont contribué à faire de moi ce que je suis aujourd'hui... ce qui, à son tour, détermine ce que je serai demain ! Je pense qu'un contrecoup de cet effet domino m'amène maintenant à regarder en arrière et à affirmer que si c'était à refaire, je ne changerais rien à ma vie. Pas même les moments les plus sombres ! Pourrais-je encore affirmer une telle chose si mon expérience avec Andy n'était jamais arrivée ? Probablement pas ! Il a contribué à tout ce que je suis devenue. Chaque jour, j'apprécie la chance que j'ai eue et je rends grâce à Dieu pour tout ce que j'ai... et tout ce qui reste encore à venir. — HELEN

L'histoire suivante m'a été envoyée par courriel.

Signes d'un ami bien-aimé

Je lis vos livres depuis maintenant près de deux ans. Une fois que je commence à en lire un, je n'arrive plus à m'en détacher. Vos livres m'ont donné une grande inspiration et m'ont aidée à affronter la mort soudaine d'un être cher. Je voudrais partager mes expériences angéliques avec vous.

Un de mes amis les plus proches a tragiquement perdu la vie dans un terrible accident de voiture il y a trois ans. Il avait 25 ans et roulait sur l'autoroute quand il a perdu la maîtrise des sa voiture et a fait une sortie de route. Le passager de la voiture, qui ne portait pas sa ceinture de sécurité, a été projeté à travers le pare-brise, mais mon ami, qui était au volant avec sa ceinture, est resté coincé dans la voiture quand elle a pris feu. Cela a été un choc terrible et j'ai eu bien du mal à accepter la disparition d'un ami que je voyais tous les jours.

Juste deux semaines avant l'accident, j'ai fait un rêve très intense que j'ai raconté à mes parents. J'ai rêvé que quelqu'un avait mis le feu à ma voiture dans une station-service et que je ne pouvais rien faire pour l'arrêter. La semaine suivante, quelques jours avant l'accident de mon ami, j'ai fait un autre rêve dans lequel la voiture que je conduisais faisait une embardée et quittait la route sur laquelle j'étais. J'ai réussi à sortir indemne de la voiture tandis qu'elle se trouvait en suspension dans les airs, juste avant qu'elle n'atterrisse dans le champ opposé. Je n'avais pas associé ces rêves à l'accident de mon ami, jusqu'à ce que mon père me rappelle les rêves que je lui avais racontés.

Pendant plusieurs mois après la mort de mon ami, je suis allée consulter différents médiums, cherchant une

177

confirmation selon laquelle mon ami était bel et bien au ciel et qu'il ne souffrait pas, ou ne ressentait aucune douleur. Presque tous les médiums m'ont affirmé que mon ami était en sécurité de « l'autre côté » et qu'il ne souffrait pas. Ils m'ont tous transmis qu'il voulait me dire qu'il m'aimait, qu'il était avec moi et qu'il n'avait pas souffert lors de l'accident, qu'il était mort sur le coup. Cela a été très dur, car il me manquait terriblement, mais j'étais vraiment contente qu'il soit arrivé de l'autre côté, qu'il ne souffre plus et qu'il n'ait pas souffert lors de l'accident.

Depuis lors, je suis tombée sur vos livres et je continue de vous lire régulièrement. Vos livres sur les anges sont pour moi une grande source d'inspiration et ils m'ont vraiment aidée à faire face à la mort de mon ami.

Le fait de lire vos livres et les expériences angéliques qui y sont décrites me permet aujourd'hui de reconnaître les signes qui me viennent des anges ainsi que de mon ami. Lors du premier anniversaire de sa mort, j'étais affectée au quart de nuit (dans une salle d'hôpital). À minuit, mon collègue a branché l'ordinateur, et ce faisant, la radio, qui n'était pourtant PAS branchée, s'est mise à jouer une chanson des Beatles, All You Need Is Love. J'ai ensuite lu une phrase des paroles de cette chanson dans un de vos livres, et j'espérais qu'il s'agissait d'un signe que m'envoyait mon ami. Plusieurs autres choses se sont également produites cette nuit-là, comme mon téléphone qui a sonné deux fois, puis s'est arrêté, sans qu'aucun appel ne soit pourtant inscrit sur la liste des « appels manqués » et qu'aucun nom ou numéro n'apparaisse sur l'afficheur tandis qu'il sonnait ; des pièces d'équipement qui se sont déplacées à travers la chambre, etc., qui, comme vous pouvez l'imaginer, ont terrifié mes collègues qui étaient jusque-là plutôt sceptiques.

Lors du deuxième anniversaire de la mort de mon ami bien-aimé, je travaillais de jour à l'hôpital. Le système qui sert à avertir l'infirmière, qui n'était pourtant pas requis pour la catégorie des patients de l'unité dans laquelle je travaillais, s'est mis à sonner. Le reste du personnel de l'unité ne pouvait pas comprendre ce qui s'était passé, puisque les boutons n'avaient jamais été utilisés et qu'ils étaient situés à un endroit sur le mur où personne ne pouvait les avoir activés. Des électriciens ont été appelés par la gestionnaire de service ; ils ont vérifié le système, puis ils l'ont regardée étrangement, disant que les boutons n'avaient pas été activés et que le système fonctionnait parfaitement. Cela s'est produit de façon intermittente tout au long de mon quart de travail et ça m'a fait sourire de l'intérieur, car je savais que mon cher ami était avec moi.

Depuis que je travaille à l'hôpital, c'est arrivé souvent que les patients me demandent qui est le jeune homme ou le garçon debout derrière moi. Lorsque je regardais autour, il n'y avait pas une seule personne en vue. Encore une fois, on peut penser que c'était une coïncidence, mais j'espère bien qu'il s'agissait de mon ami.

Mon cher ami avait l'habitude de m'appeler « mon ange » tout le temps. Je n'ai jamais fait de lien à l'époque, car je n'y voyais qu'un surnom affectueux. Le Noël avant son accident, je travaillais encore de nuit quand il s'est présenté à l'hôpital avec mon cadeau de Noël. Ce fut une merveilleuse surprise, car je ne m'attendais pas à le voir ce soir-là. Il m'a offert quelques présents, dont un livre.

Puisque je travaillais pendant toute la période des Fêtes, je n'ai pas eu la chance de commencer à le lire. Son accident est arrivé en janvier et, un soir, j'ai récupéré le livre pour me souvenir de lui. C'est alors que j'ai remarqué le titre de l'ouvrage : Souviens-toi de moi ! *J'ai ressenti un frisson et mon verre, à côté de moi, a émis une sorte de tintement. J'ai simplement pensé que c'était à cause de son décès récent, jusqu'à ce que j'en apprenne davantage sur d'autres expériences tirées de la vie de tous les jours.*

J'ai trouvé des plumes blanches, de toutes les tailles, dans tous les endroits possibles. Je les mets dans une boîte décorée de chérubins dorés que je garde près de mon lit et que ma mère, qui a été mon point d'ancrage tout au long de cette épreuve, m'a donnée. Je ne les aurais pas reconnues comme des signes avant d'avoir lu vos livres.

À plusieurs reprises, quand je me sentais déprimée ou que je pleurais, les photos où nous apparaissons ensemble, se déplaçaient d'elles-mêmes. Une nuit, j'étais très en colère, et tout ce que je voulais, c'était de lui parler une dernière fois. J'ai séché mes pleurs et je suis entrée dans ma chambre, et là, sur le lit, se trouvait la dernière photo à avoir été prise de nous deux... laquelle était pourtant d'ordinaire accrochée au mur. J'ai pu alors sentir sa présence et sa chaleur à nouveau.

Une nuit, j'ai fait un rêve on ne peut plus réel dans lequel mon ami me raccompagnait, à pied, du travail (normalement, je conduis, car c'est beaucoup trop loin pour rentrer à pied). Nous avons marché pendant longtemps, tout en bavardant. Quand nous sommes arrivés devant chez moi, il m'a caressée, serrée, embrassée, et il m'a dit : « Je dois y aller maintenant, mon ange. » Je l'ai supplié de rester, je ne cessais de répéter : « J'ai tellement de choses à te dire. » Mais il a lentement disparu.

Dans le rêve, je pleurais tellement, et je me sentais tellement mal. Lorsque je me suis réveillée, je pleurais encore, mais plus tard dans la journée, j'ai commencé à me sentir en paix, et je me suis sentie privilégiée d'avoir eu une autre chance de me retrouver avec mon cher ami. Il avait la même tenue que sur la dernière photo prise de nous deux. J'ai depuis eu d'autres rêves où il est avec moi, à me parler, mais aucun n'a été aussi intense et réel que celui-là. Dans tous les autres rêves, il n'a pas cessé de porter les mêmes vêtements qu'il avait lors de notre dernière rencontre, avant qu'il meure. J'aimerais croire qu'il ne s'agit pas d'une coïncidence.

Ma grand-mère, qui a été très malade au cours des dernières années et est désormais très confuse, parle de mon grand-père régulièrement. Elle dit à ma mère : « Ton père est ici » ou « Ton père vient de partir. » Elle lui parle régulièrement et fait souvent allusion au garçon qui se tient tout le temps à côté de moi. Quand je lui demande à quoi il ressemble, elle répond : « Il a le teint foncé et de beaux yeux. » Mon ami était sikh et tout le monde faisait toujours des remarques sur ses yeux souriants. Je crois qu'il veille sur ma grand-mère quand je ne suis pas là. Après avoir quitté ma grand-mère, c'est arrivé souvent que le lecteur CD de ma voiture saute automatiquement à l'une des chansons préférées de mon ami et que le volume se mette à monter et à descendre tout seul. Cela me donne des frissons, en plus de me faire sourire, car je sais qu'il est là.

Je suis allée voir un médium qui m'a dit, dès que j'ai franchi sa porte : « Il y a deux hommes qui marchent avec vous : votre grand-père maternel et un jeune homme, grand, au teint foncé, avec de grands yeux souriants et il porte quelque chose sur la tête. Ils veillent tous les deux sur vous. » J'étais complètement estomaquée : sa description était tellement précise. Comme je l'ai dit plus tôt, mon ami était de religion sikhe et il portait toujours un bandana pour couvrir sa tête. Je savais qu'il serait toujours avec moi, tout comme mon grand-père (même si je ne l'ai jamais connu).

À l'époque, j'éprouvais beaucoup de difficulté au travail à cause mon supérieur. Mon ami avait l'habitude de venir me voir pendant mes pauses afin de me remonter le moral. Il disait toujours : « Tu fais si bien ton travail. Si jamais je me retrouve à l'hôpital un jour, je veux que ce soit toi qui me soignes », puis il me faisait un câlin. La situation au travail s'est encore détériorée après sa mort, et il y a eu de nombreuses fois où je me serais simplement enfuie du travail. J'aime mon travail, mais je n'en pouvais plus de l'intimidation. Chaque fois que j'avais envie de courir au loin, je voyais presque toujours une image de mon meilleur ami en face de moi. Il me souriait et me disait exactement les mêmes mots qu'il m'a toujours dits. Cela me donnait en quelque sorte la force de sourire et de continuer mon travail. Ma journée s'en trouvait toujours égayée quand ça arrivait.

Récemment, j'ai été malade ; j'ai connu des problèmes respiratoires. Une nuit, j'ai presque eu à me rendre à l'hôpital, mais j'ai prié mon cher ami et mes anges pour qu'ils veillent sur moi. À mesure que la nuit avançait, il devenait plus facile de respirer et je n'ai pas oublié d'en remercier mon ami et mes anges. Pendant que j'étais au lit cette nuit-là, j'ai entendu trois coups sur la porte de ma chambre. Je me suis levée du lit et je suis allée voir dans le couloir, et il y avait mon frère qui venait tout juste de monter les escaliers. Quand je lui ai demandé s'il avait cogné à ma porte, il m'a regardée bizarrement et m'a dit que j'imaginais des choses. Une fois encore, j'ai souri et j'ai ressenti une grande chaleur à l'idée que cela pourrait avoir été un signe.

Je tiens à vous remercier pour votre inspiration. Je voudrais croire que ces expériences ne sont pas des coïncidences, mais qu'elles sont bien le résultat des visites de mon ami bien-aimé et des signes qu'il m'envoie.»

— **CLAIRE**

Histoires d'enfants parapsychiques

[U]n rêve qui est devenu réalité
et qui s'est propagé à travers les étoiles.

WILLIAM SHATNER, ALIAS CAPITAINE JAMES T. KIRK, **dans un épisode de *Star Trek* de 1969, « Celui que Dieu détruit»**

J'ai fait mention des enfants parapsychiques en introduction, mais j'aimerais maintenant partager avec vous quelques histoires en profondeur. Rappelez-vous, il y a en ce moment même des milliers d'enfants qui sont nés avec ce type d'habiletés partout dans le monde !

Petite fille parapsychique

Il y a environ trois ans, ma fille Emilia s'est retrouvée dans le journal du soir de notre région en raison de ses capacités psychiques. Elle est maintenant âgée de six ans et parle encore à ses «amis célestes», comme elle les appelle. Il y a quelques années, une amie s'est présentée chez moi avec une voyante qui m'a dit que ma fille était extrêmement douée, quoique nous étions déjà au courant de ses talents. L'expert m'a aussi dit qu'il était probable qu'Emilia cesse de voir des esprits vers l'âge de cinq ans.

Elle a maintenant dépassé cet âge et elle les voit toujours partout où nous allons.

Elle avait l'habitude de discuter avec un vieil homme et deux petits garçons à la maison, mais plus souvent qu'autrement, elle garde le silence sur ce qu'elle fait. Elle voit très souvent quelqu'un qui s'appelle Michael. Si elle veut me parler de n'importe lequel de ses amis, je ne fais qu'écouter et dire : « Hum… je vois, ma chérie. » Ceci parce que je me suis aperçu que lorsque la famille et les amis sont autour, et que je demande à Emilia de leur raconter ce que Michael a dit, elle se met sur la défensive et dit que je raconte des mensonges. C'est comme si personne d'autre n'était autorisé à connaître les esprits qu'elle voit. Michael, me dit-elle, est son « petit ami du ciel ». Elle lui parle constamment, et ce, depuis aussi longtemps que je me souvienne.

Quand elle était très petite, elle pointait du doigt, très excitée, et disait : « Vieil homme ! » et elle envoyait la main de façon frénétique. Partout où nous allions, elle voyait ce vieil homme, j'en ai donc déduit que ce devait être son ange gardien. J'ai demandé à la voyante si cela pouvait être vrai, mais elle m'a dit que ce n'était pas un ange, mais simplement des esprits que ma fille voyait. Emilia était trop jeune pour comprendre qui il était et elle a juste continué à l'appeler « vieil homme ». Puisque ce vieil homme était toujours dans la maison, j'ai demandé à la voyante de bénir la maison de sorte qu'il la quitte. Le lendemain, ma fille savait qu'il était parti ; elle l'a simplement accepté et a dit : « Le vieil homme est au ciel maintenant. » C'est après le départ du vieil homme que Michael est apparu. Au début, elle répétait qu'il était méchant et qu'il jurait, mais il semble s'être beaucoup calmé depuis : il est serviable, plutôt que dérangeant. Parfois, nous n'entendons pas parler de lui pendant très longtemps et Emilia dit alors que Michael est avec son père.

Emilia commence à mieux comprendre le phénomène maintenant, et elle se rend compte qu'elle seule peut voir Michael. Récemment, nous avons regardé un film intitulé **Fais de l'air, Fred**. Ça traite d'une fille qui a un ami « imaginaire », un ami que personne d'autre ne peut voir. Emilia a fait ce commentaire : « Oh, maman ! Elle est comme moi. »

Aucun de ses amis d'école ne connaît ses capacités, mais les enseignants sont au courant depuis le début. Les médecins avaient coutume de dire qu'elle avait « des absences » (ou qu'elle entrait dans un état de transe, ou une sorte de rêve éveillé duquel elle ne sortait pas, peu importe ce qu'on faisait. Ses yeux devenaient tout simplement vitreux). Elle a eu beaucoup de tests et de scanographies pour ça et ils n'ont relevé aucune anomalie. La voyante m'a dit que la condition médicale d'Emilia n'avait rien de problématique. Elle m'a expliqué que c'est à ce moment-là qu'elle communique avec l'autre monde. Il semble qu'elle ait probablement raison.

Emilia est une jolie petite fille et ses capacités ne semblent pas la déranger d'aucune façon. Elle se lie d'amitié avec tout le monde et elle a une personnalité très pétillante. Elle semble être toujours heureuse quand elle parle à ses « amis célestes ». De plus, Emilia savait que j'étais enceinte avant même que je ne le découvre. Elle était très persistante à ce sujet, et à la fin, j'ai fait un test de grossesse et j'ai découvert, à ma grande surprise, qu'elle avait raison.

Elle arrête parfois des inconnus, au hasard, pour leur livrer des messages. Une fois, mes voisins l'ont emmenée au supermarché avec eux (Emilia joue avec leur petite-fille). Quand ils nous l'ont ramenée, ils m'ont dit : « Quel enfant bizarre vous avez ! » Et ils se sont mis à rire. Apparemment, il y avait un vieux monsieur au café et Emilia s'est approchée de lui et lui a dit : « Vous avez beaucoup de médailles parce que vous avez déjà piloté un avion avec un homme qui s'appelait... », puis elle a donné son nom, et le vieil homme a répondu : « Eh, comment sais-tu tout ça ? » et il a confirmé que ce qu'elle avait dit était vrai.

Même si ma fille s'est déjà retrouvée dans le journal local, peu de gens savent qu'elle est spéciale (ils ont oublié ou n'ont pas lu l'article). Nous n'avons pas l'habitude d'en parler parce que je ne veux pas qu'elle soit jugée ou qu'elle se sente différente d'aucune façon, en particulier avec d'autres enfants.

Il y a quelques mois, elle m'a dit : « Ah, Nana Joan est décédée jeudi chez elle. » Plus tard ce soir-là, nous avons reçu un courriel de la fille de Joan qui confirmait la chose. C'était étrange, mais merveilleux à la fois. Au fur et à mesure qu'Emilia grandira, je me demande si elle continuera à faire passer des messages en provenance de l'autre monde. Quoi qu'il arrive, je suis très fière de ma fille. — **CHARLENE**

L'histoire suivante m'a été transmise sous forme de lettre par une amie. Elle m'a donné l'autorisation de l'utiliser ici, mais afin de respecter sa vie privée, j'ai changé les noms des personnes impliquées.

Deux fois bénie par l'ange Michael

J'ai une belle histoire vraie qui pourrait vous intéresser. La semaine dernière, j'ai rencontré dans un magasin une femme nommée Mary, que j'ai connue il y a des années. Elle poussait un landau et tenait la main d'un tout petit garçon. Elle m'a raconté qu'elle et son mari ont essayé d'avoir un bébé pendant 12 ans, mais rien n'y faisait. Ils avaient d'abord décidé d'adopter en Irlande du Nord, mais à cause du temps d'attente, ils ont finalement choisi d'aller à Londres.

Ils ont fini par trouver un beau petit garçon âgé de deux ans, du nom d'Adam, et ils ont enclenché les procédures. Lors de leur première rencontre avec le bambin, il a couru vers Mary, il s'est collé contre elle et lui a dit qu'elle allait être sa maman. Les mois ont passé et les Services sociaux, ici en Irlande du Nord, se traînaient les pieds. Mary est donc allée les rencontrer, elle est repartie avec les fichiers, et les a transmis à Londres par courrier recommandé. Ils ont été approuvés en quelques mois et les arrangements ont été faits pour que le petit garçon vienne avec ses parents temporaires et qu'on puisse procéder au transfert.

Quand un transfert survient, les parents temporaires et les enfants ont l'habitude d'aller dans un hôtel pour quelques jours afin qu'ils puissent prendre le temps de s'assurer que le transfert fait le bonheur des deux parties, mais pas dans ce cas. Quand l'enfant est sorti de la section des arrivées à l'aéroport, il a couru et sauté dans les bras de Mary en disant : « Maman, je viens vivre chez vous maintenant » — *et c'est exactement ce qu'il a fait. La famille était ravie et heureuse, leur rêve se réalisait.*

Un soir, le petit garçon a dit à Mary qu'il aimerait avoir une petite sœur, et il a ajouté qu'ils auraient une petite fille. Mary, sachant qu'elle ne pouvait pas avoir d'enfants, n'a pas tenu compte de son commentaire. Après quelques mois, il est revenu à la charge. Il lui a dit que « Michael avait dit » qu'elle aurait une petite fille. Un mois plus tard, Mary a découvert qu'elle était enceinte. L'enfant a dit à tout le monde que sa maman attendait une petite fille, si bien que son éducateur à la garderie a félicité Mary, lui disant à quel point c'était merveilleux qu'elle ait une petite fille. (À ce moment-là, Mary ne connaissait pas encore le sexe du bébé.)

Un jour, alors que Mary et Adam jouaient ensemble, il a levé les yeux en l'air et a dit : « Regarde, maman : Michael est là ! » Mary a demandé à Adam à quoi ressemblait ce Michael, et Adam l'a décrit comme étant très grand avec une épée.

Pendant que j'écoutais le récit de Mary, j'en ai eu la chair de poule. J'ai questionné Adam au sujet de Michael, à savoir s'il s'occupait de lui, et il a dit que oui, qu'il jouait avec lui. Tout était si normal pour lui ! Ainsi, Mary a désormais une belle petite fille née en bonne santé, et elle est passée d'une famille sans enfant depuis si longtemps à une famille avec deux beaux enfants. Jacky, que pensez-vous de ça ?! — **K**

Histoires de protection angélique

Aucun malheur ne t'arrivera, aucun fléau
n'approchera de ta tente. Car il ordonnera à ses anges de te
garder dans toutes tes voies ; ils te porteront sur les mains, de
peur que ton pied ne heurte contre une pierre.
PSAUMES 91,10-12

Une bonne partie des histoires que les lecteurs m'envoient portent sur la façon dont les anges les ont protégés. Ces histoires sont incroyables et merveilleuses. Aussi, ai-je pensé qu'elles se glisseraient parfaitement ici.

Histoires d'anges et de voitures

J'ai toujours cru aux anges, et ma première expérience angélique est survenue quand j'avais environ 13 ans. Ma grand-mère, qui est décédée depuis, a dû essayer toutes les religions possibles et, puisqu'elle était comme une deuxième mère pour moi, elle m'a beaucoup appris sur les religions et les anges, et ce, à partir d'un très jeune âge.

J'ai déménagé aux États-Unis quand j'avais seulement 11 ans, afin que ma famille puisse vivre avec mon beau-père américain. Par une chaude journée d'été, en 1983, ma mère Kathryn, mon beau-père Marc, mon jeune frère Chris et moi-même avons passé une journée en famille. Nous venions de quitter la maison, laquelle se trouvait à Cheney, au Kansas. Le trajet était d'environ une demi-heure avant que nous n'arrivions à destination, le réservoir Cheney : une belle plage avec un périmètre de sable et un joli lac pour la pêche et la natation. Nous avons passé une merveilleuse journée à nous faire bronzer, et nous avons même fait un pique-nique. Ce qui s'annonçait être un événement familial normal s'est par la suite transformé en un incident qui allait changer ma vie pour toujours.

Après cette magnifique journée, nous avons sauté dans la voiture pour rentrer à la maison. Nous parlions du plaisir que nous avions eu, quand nous avons accidentellement brûlé un feu rouge à une intersection. C'était un carrefour très fréquenté, à deux voies dans chaque direction, un peu comme une route à quatre voies. C'était terrifiant : à gauche et à droite de nous, il y avait des camions, ainsi que des voitures qui venaient en sens inverse et tournaient à l'intersection. Nous n'avions pas la moindre chance : il était trop tard pour freiner et s'arrêter à temps. En regardant devant nous, je pouvais voir un camion qui fonçait tout droit sur nous. Il n'y avait aucun moyen de s'en sortir. S'arrêter, faire marche arrière, accélérer... cela n'aurait fait aucune différence.

Tous les quatre nous avons fermé les yeux et nous nous préparions à l'impact. La dernière chose dont je me souvienne, à ce moment, c'est d'avoir demandé à Dieu de nous aider. Puis, tout d'un coup, le temps a semblé s'arrêter et il nous est apparu que notre voiture était soulevée; c'était comme une sensation de flottement au ralenti, comme si une paire de mains géantes nous avaient soulevés dans les airs. Quand nous avons rouvert les yeux, nous étions sains et saufs de l'autre côté de l'intersection. Nous roulions normalement !

Dès qu'il a pu, mon beau-père a immobilisé la voiture en lieu sûr, un peu plus loin sur la route. Nous étions tous complètement bouche bée ! Tout s'est passé si vite que nous n'avons pas pu analyser ce qui s'était passé ! Mon frère et moi nous étions mis à crier depuis le siège arrière, et je continuais toujours à prier en silence pour que Dieu nous épargne. Mon beau-père jurait tellement il avait eu peur, et ma mère priait à haute voix.

Une seconde, nous étions en train de crier et de prier, la seconde suivante nous roulions en toute sécurité à travers la circulation. J'en étais déjà venu à la conclusion que si j'étais pour mourir, je pourrais aussi bien fermer les yeux, parce que je savais que ce serait rapide. Mais quelque chose nous avait tirés d'affaire. L'atterrissage s'était fait tout en douceur. Aucun véhicule ne nous avait percutés. Je le sais parce que, depuis cet incident, j'ai vécu un accident de voiture grave. Notre véhicule n'avait pas subi une seule égratignure, aucun son de métal froissé ne s'était fait entendre, et aucune autre explication possible ne me venait à l'esprit ; nous savions que nous avions été protégés par des anges, même si c'est difficile à expliquer. Vous n'avez pas à le voir pour le croire, mais nous savons ce que nous avons ressenti ; c'était comme si le temps s'était arrêté, comme dans un film. Nous respirions maintenant avec soulagement et nous nous sommes tous regardés, conscients de ce que nous venions de traverser. Si d'autres automobilistes ont remarqué ce qui s'est passé, *aucun ne s'est arrêté pour nous en parler. Après nous être calmés, nous avons poursuivi notre route jusqu'à la maison.*

Maman et moi parlons encore de cet incident de temps en temps. Je pense que mon frère et mon beau-père ne sont pas aussi loquaces à ce sujet, mais j'ai aussi parlé de cet incident avec mon copain et mes amis. Je suis heureuse d'en parler parce que cela prouve qu'il y a autre chose de l'autre côté. Des choses comme ça n'arrivent pas tous les jours, alors comment pouvez-vous après ça ne pas y croire ?

Des années plus tard, je me suis retrouvée dans un autre accident de voiture. J'étais seule sur la banquette arrière et ma mère se trouvait dans le siège du conducteur. Une voiture nous a heurtés avec tant de force qu'elle a projeté notre voiture jusque dans les arbres. Bizarrement, je m'en suis sortie indemne à nouveau. Je venais d'acheter un téléviseur que j'avais mis sur le côté droit, juste à côté de moi, alors que normalement je suis assise à droite. Quoi qu'il en soit, tout le côté droit du châssis s'est écrasé lors de l'impact, s'incurvant jusque sur la banquette arrière. Bref, j'ai tout de suite compris qu'avoir été assise là, j'aurais été tuée sur le coup.

À l'époque, je souffrais de dépression et j'avais passé plusieurs semaines au lit. Une nuit, une lumière incroyablement brillante est apparue à la fenêtre de ma chambre. Elle était si brillante qu'elle me faisait loucher. À la fenêtre, j'ai aperçu un ange qui devait mesurer au moins 2 mètres à 2 mètres 50 ; il avait les cheveux longs et des ailes énormes. Il m'a souri avant de s'éloigner. Je me suis levée et j'ai pu voir des traces « d'ailes » dans la neige. J'en ai parlé à ma grand-mère le lendemain matin, qui m'a dit qu'elle avait vu le même ange à quelques reprises et de la même manière, à sa fenêtre. Nul besoin de vous dire que ma dépression a disparu après une telle expérience!

— HELEN

Une patrouille-neige

Est-ce que je croyais aux anges? Eh bien, en toute honnê-teté, sans doute que non. Je pensais qu'ils ne relevaient que de la fantaisie ou du vœu pieux. Est-ce que je croyais aux esprits? Oui, comme des proches décédés qui nous aident à partir de l'Au-delà... peut-être.

Ma mère et moi avons toujours nourri un fort lien spirituel. Nous sommes très proches et pensons souvent les mêmes choses. Pendant mes années d'adolescence, nous avons visité des médiums spiritualistes ensemble; nous partagions un intérêt commun pour «ce genre de choses.» Il y a 20 ans, nous avons toutes les deux pris davantage conscience de l'énergie spirituelle, à l'époque où sa mère (ma bien-aimée grand-mère Cashon) est décédée.

Avant la mort de grand-maman, il nous arrivait de voir des ombres se déplacer dans la maison. Trois jours après son décès, grand-maman Cashon est venue me visiter au beau milieu de la nuit; elle a touché mon bras pour me réveiller et m'a ensuite parlé de sa voix normale. Ceci a été l'étincelle qui a allumé la flamme, et je n'ai cessé de m'intéresser à ce genre de phénomène depuis ce jour-là. J'avais rejoint des cercles spiritualistes axés sur le déve-loppement psychique dans le passé, mais pour être honnête, je ne m'étais jamais vraiment intéressée aux anges... jusqu'à ce que l'envie me prenne d'acheter des dizaines de livres sur le sujet grâce à une indemnité de départ que j'avais reçue il y a deux ans (en 2009). C'est alors que j'ai découvert que les anges étaient bel et bien réels, après avoir lu les livres de plusieurs auteurs bien connus... y compris les vôtres. La lecture de ces livres a en quelque sorte changé ma vie, et maintenant, je demande même aux anges de m'aider tous les jours... et un jour, ils m'ont prouvé qu'ils existaient pour vrai. Je crois qu'un ange m'a sauvé la vie.

Mon conjoint John et moi avons une fille, Erin, qui avait deux ans à l'époque. Disons que nous avons procédé à l'envers, car nous avons eu notre maison et nos enfants avant de nous marier (nous nous sommes finalement mariés en 2008, après 13 ans de vie commune !). John était un représentant des ventes et couvrait toute l'Irlande du Nord et l'Écosse, y compris les îles Shetland, et donc il était souvent absent du lundi au vendredi !

Un hiver, la neige est tombée dans un secteur de notre région. C'était très beau et j'étais tout à fait consciente que c'était la première fois que ma petite Erin voyait de la neige ; j'ai donc eu envie de partir à la découverte avec elle. John était loin de la maison et, comme c'était mon jour de congé, je me suis dit qu'Erin verrait plus de sites enneigés si je prenais la route à une quarantaine de minutes plus au nord. Trossachs, une région boisée très rurale près de Callander, était notre destination. Sans réfléchir davantage à ce sujet, j'ai attaché Erin à son siège de voiture, je me suis procuré un lunch au service de commande à l'auto, puis j'ai mis le cap vers le nord... sans aucune autre *préparation. Je portais des bottes à talons hauts à la mode et, dans un élan de précipitation, j'avais oublié mon téléphone cellulaire à la maison. Personne ne connaissait nos plans, et au moment où je vous écris ceci, je me rends compte à quel point cela a été une énorme erreur de ma part.*

Au fur et à mesure que nous nous rapprochions de notre destination, la neige se faisait plus épaisse et la conduite devenait de plus en plus difficile. Mais j'ai continué. Erin était tellement excitée avec tout ce blanc… et je ne voulais pas la décevoir. Finalement, j'ai quitté la route principale, puis j'ai emprunté la petite route qui mène vers les lacs et les zones boisées (inutile de vous dire que personne d'autre faisait la même chose, car le temps était si mauvais). J'ai roulé sur une bonne distance, mais à mesure que j'avançais, je commençais à sentir la panique me gagner. J'avais vraiment franchi le point de non-retour. Le sol était complètement recouvert de blanc, de la neige épaisse… excitant, mais j'étais sur un chemin étroit et les roues de la voiture avaient commencé à perdre de leur adhérence. Il ne me restait plus qu'à continuer de grimper.

Je me souviens avoir été prise de panique et m'être sentie tellement idiote d'avoir ainsi compromis ma sécurité et celle d'Erin. En voiture, je me parle souvent à moi-même ou bien je chante les chansons qui passent à la radio. Cette fois, je me suis mise à demander de l'aide tandis que la voiture commençait à glisser sur le chemin enneigé. J'avais tellement peur, mais je n'avais aucune idée de la personne qui pourrait venir à mon secours. Je voulais simplement me sortir de cette fâcheuse situation.

Les minutes s'écoulaient et j'étais désormais vraiment paniquée. Je n'avais pas de téléphone, pas de veste, je n'avais rien dit à personne de l'endroit où nous allions, je n'avais pas les chaussures appropriées, et il commençait maintenant à faire sombre. Je me suis dit que je pourrais peut-être abandonner la voiture au milieu de nulle part et regagner la ville à pied avec Erin, mais je ne pouvais quand même pas abandonner la voiture au beau milieu de la route! J'avais bien trop peur de laisser la voiture derrière moi, au cas où elle aurait bloqué la voie à quelqu'un d'autre. La seule chose que je pouvais faire, c'était de continuer à grimper jusqu'en haut de la colline, dans l'espoir que je serais en mesure d'y trouver un endroit pour faire demi-tour. L'ascension était lente, les roues sousviraient sur la neige glacée et glissante, et pire encore, je n'avais aucune idée de ce qui se trouvait en haut de la colline ni où j'allais. J'ai simplement continué de prier aussi fort que je le pouvais, tout en conduisant très, très lentement.

Soudain, juste en face de nous, une grosse jeep, qui glissait tranquillement en notre direction, est apparue. Elle se déplaçait vers le bas de la colline tandis que nous nous dirigions en sens inverse. Au moment où je l'ai vue, j'étais déjà enlisée dans la neige... je n'allais nulle part et j'avais maintenant bloqué le chemin; la jeep ne pouvait d'aucune façon poursuivre sa route.

Les occupants de la jeep — un homme et une femme — sont sortis, alors je suis sortie aussi, et je me suis dirigée vers eux pour leur dire comment j'avais été stupide. Je me souviens que la femme m'a demandé : « Bien sûr, vous avez votre téléphone cellulaire avec vous ? » Et j'ai dit oui, même si c'était un mensonge, parce que je me serais sentie encore plus humiliée de lui dire que je ne l'avais pas !

Bizarrement, ils ne m'ont pas jugée, mais m'ont plutôt offert de l'aide. L'homme est embarqué dans ma voiture afin de la déplacer pour moi. Erin était encore attachée à son siège d'auto, mais je n'en ai pas fait de cas. Je suis restée avec la femme, et ce n'est qu'à ce moment que j'ai remarqué l'escarpement à côté de la voie. Ça me paraissait très effrayant, mais l'homme ne semblait pas pour autant perturbé. Il a retourné ma voiture de façon très efficace, la faisant maintenant pointer vers le bas. Pour moi, ça m'a paru d'une grande facilité, mais il a bien dû faire 20 manœuvres pour y arriver ! À aucun moment n'ai-je eu peur. Étrangement, je me sentais plutôt calme, comme s'il y avait en fait quelque chose de très serein à la situation. De plus, Erin avait eu l'air heureuse de se trouver dans la voiture avec lui.

Après les avoir sincèrement remerciés, je suis retournée à la voiture où j'ai retrouvé ma fille, contente. J'ai rassemblé mes pensées pendant une seconde avant de démarrer le moteur. Ensuite, j'ai mis le véhicule en marche et, comme je regardais dans le rétroviseur pour leur envoyer la main, le couple avait disparu ! J'étais complètement confuse parce qu'ils se dirigeaient vers le bas de la colline lorsqu'ils m'ont trouvée. Je ne les avais pas entendus s'éloigner et, pour disparaître, ils auraient dû remonter la pente en sens inverse, ce qui semblait dangereux, ou encore effectuer un virage en plusieurs manœuvres comme l'homme venait de le faire pour moi ! J'étais complètement stupéfaite ! Je ne vois pas pourquoi ils auraient eu à faire demi-tour et rebrousser chemin. Ils avaient bien dû descendre la côte pour une raison, non ? J'ai la chair de poule, encore aujourd'hui, juste à y repenser. J'étais à l'époque tellement excitée que j'avais hâte de raconter tout ça à ma mère. Qui m'avait aidée ?

J'ai conduit lentement et prudemment jusque chez maman, et, heureusement, le reste du voyage s'est déroulé sans incident. Quand je suis arrivée, la première chose que j'ai faite a été de lui dire à quel point j'avais été stupide de sortir avec Erin en étant aussi mal préparée. J'avais envie de pleurer, en fait, parce que j'étais tellement en colère contre moi, et embarrassée, car j'aurais très bien pu lire à mon sujet dans les journaux que j'avais été secourue par la police ou une équipe de sauvetage en montagne... au prix de milliers de livres sterling. J'étais tellement touchée par ce qui aurait pu arriver si nous n'avions pas été « sauvées ». Et c'est alors qu'après m'être calmée, la réalité de la situation m'a soudainement frappée.

Maman, d'autre part, était ravie parce que nous étions finalement rentrées à la maison saines et sauves et que quelqu'un, ou quelque chose, était intervenu. Je me souviens de nous, debout, en train de nous regarder avec de grands yeux, avec ce genre de regard disant « je sais ». À ce jour, je ne sais toujours pas si le couple était des anges ou s'ils avaient été envoyés par les anges. Je suppose que s'ils étaient des anges, alors ils auraient très bien pu simplement disparaître dans les airs ; et s'ils étaient un couple ordinaire en ballade pour profiter de la neige, alors ils auraient certainement conduit derrière nous alors que nous démarrions... donc je suppose qu'ils étaient des anges !

J'étais tellement en colère contre moi-même. J'ai souvent lu dans les journaux, ou entendu aux nouvelles, des histoires de gens (comme moi) qui étaient partis à l'aventure par mauvais temps, sans aucune préparation. Et pourtant, ce jour-là, j'avais été cette personne à propos de qui on dit toujours : « Comment quelqu'un peut-il avoir fait ça ? » Je voulais montrer à Erin sa première neige, mais cela aurait aussi bien pu nous coûter la vie. Je n'agirai certainement plus jamais de façon aussi idiote. Je crois que tout arrive pour une raison et que cette vie est un processus d'apprentissage. Je suppose que l'expérience n'a pas vraiment changé mon existence à l'époque... Mais depuis mes lectures sur les anges au cours des deux dernières années, j'aimerais maintenant remonter le temps et absorber chaque élément d'information que le couple était alors en mesure de me donner. Quelle expérience ! Je me sens tellement privilégiée.

Il m'aura fallu attendre encore cinq ans avant que je ne me plonge dans les livres sur les anges, allant même jusqu'à m'intéresser aux figurines, etc. Cela peut sembler idiot, mais je me suis toujours sentie protégée tout au long de ma vie, et encore plus maintenant qu'un lien très fort m'unit aux anges dans ma vie quotidienne.

Erin est maintenant âgée de dix ans et elle a désormais une petite sœur, Teagan, qui en a cinq. Mes deux filles sont spirituelles et je trouve que c'est simplement magique de pouvoir parler avec elles au sujet des esprits et des anges, sans aucune crainte. John est aujourd'hui handicapé, mais lui aussi demande régulièrement aux anges de l'aider et ils ne l'ont jamais laissé tomber... Il prend *toujours soin de les remercier. Nous avons tous reçu une plume blanche à un moment ou à un autre et, sachant que les anges sont en permanence autour de nous, tout ce que je sais, c'est qu'Erin et moi avons été sauvées par des anges en ce jour que je n'oublierai jamais.* — ANGELINA

Mon ange Michael m'a sauvé la vie

J'ai eu un accident de voiture le 17 mai 1982. J'étais chez un ami quand un de leurs enfants a renversé une tasse de chocolat chaud sur mes jeans blancs. À ce moment, nous nous apprêtions à aller au cinéma, alors j'ai sauté dans ma petite voiture verte, et je suis rentrée à la maison pour changer mes vêtements.

Ce n'était qu'une courte distance, mais en retournant chez moi, j'ai eu un accident. C'était une belle soirée claire, mais la chaussée était mouillée. L'entrée de la ferme fruitière de la région avait été nettoyée et, lorsqu'un de mes pneus a roulé dans une flaque d'eau, je me suis immédiatement mise à déraper. Puis, j'ai frappé un trou dans la chaussée et c'est alors que j'ai perdu la maîtrise de ma voiture. Elle a foncé tout droit vers une clôture.

Je suis demeurée consciente tout au long de l'expérience, mais quand la voiture s'est arrêtée, je me suis rendu compte qu'un piquet m'avait traversé le corps et clouée à mon siège. Un 4 x 4 avait traversé la porte de la voiture, déchiré mes jeans et m'avait traversé l'estomac, s'arrêtant à ma hanche.

Curieusement, je n'ai pas immédiatement ressenti de panique... Je suppose que je devais être en état de choc, mais je sentais aussi que quelqu'un était avec moi. Quelqu'un ou quelque chose m'avait aidée. Je sentais une sorte de chaleur, comme un câlin, et ça m'a réconfortée.

Je pense que le réservoir de carburant avait aussi été transpercé parce que l'odeur d'essence était insupportable. J'ai senti qu'il était urgent que je sorte de la voiture, j'ai donc saisi le pieu et je l'ai retiré de mon corps. Je ne pense pas avoir fait ça de mon propre chef. Je sentais que j'étais en quelque sorte aidée. Puis je me suis éloignée d'environ trois mètres de la voiture, afin de me mettre en sécurité.

J'étais maintenant étendue dans un champ. L'artère principale de mes jambes avait été sectionnée et j'avais une fracture du bassin. Comment ai-je pu, par mes propres moyens, m'éloigner de la voiture ? C'était, et c'est toujours, un mystère pour moi.

Ce dont je me souviens par la suite, c'est qu'un homme courait à travers champ pour m'aider. Il avait appelé une ambulance quand il avait entendu le crash de l'autre côté du champ. Heureusement pour moi, il était lui-même un chauffeur d'ambulance, alors il avait une certaine expérience dans la gestion des situations d'urgence.

Tout le monde sur les lieux de l'incident a commenté la sévérité de mes blessures. J'ai eu droit à deux voitures et quatre motos de police pour m'escorter le long des 25 kilomètres qui menaient à l'hôpital. Je pense vraiment que j'aurais pu mourir dans l'accident.

J'ai été emmenée à l'hôpital, où ils ont également découvert que mes intestins avaient été perforés et que j'avais aussi subi plusieurs autres blessures graves. J'ai passé les sept heures suivantes dans la salle d'opération.

Apparemment, mon cœur s'est arrêté deux fois, et à un certain moment, je me souviens m'être vue dans la salle d'opération avec tous les médecins autour de moi.

La première fois que mon cœur s'est arrêté, c'est quand je suis arrivée à l'hôpital. Je me suis sentie soulevée, et j'ai regardé en bas, à partir du plafond, les infirmières et les médecins qui s'agitaient autour. Une infirmière était en train de couper mon pantalon et mon T-shirt, qui étaient couverts de sang. Je savais que je ne voulais pas mourir, mais j'éprouvais aussi un sentiment de fascination à voir exactement ce qu'ils faisaient. Ce dont je me souviens ensuite, c'est que j'étais sur la table d'opération; j'examinais mon propre corps pendant qu'ils enlevaient une partie de mon intestin et qu'ils me faisaient des points de suture au visage. Ensuite, j'ai pu entendre les médecins dire qu'ils étaient en train de me perdre et je me souviens avoir pensé que je n'allais pas laisser cela se produire… puis cette sensation de chaleur que quelqu'un ou quelque chose m'aidait en retour. Je me souviens aussi avoir parlé à quelqu'un qui s'appelait Michael pendant le temps où j'étais inconsciente.

Je croyais alors — et encore maintenant — que Michael était un ange prenant soin de moi. Il est resté avec moi tout ce temps, me soutenant; c'était comme s'il retenait ma force vitale et qu'il n'allait pas me laisser partir. Je pouvais entendre toutes les sirènes et sentir la vitesse à laquelle j'étais conduite à l'hôpital, mais tout ce temps, il m'a permis de garder mon calme et de rester éveillée.

C'était une expérience horrible et on m'a dit à l'époque que je ne pourrais probablement plus marcher à nouveau et que je ne pourrais jamais avoir d'enfants. Mais je savais que j'avais été aidée par mon ange ce jour-là. Il est clair que j'avais encore un travail important à faire sur Terre. Je crois certainement aux anges et je pense que je suis la preuve vivante que l'archange Michael m'a ce jour-là sauvé la vie. Je persiste à croire qu'il est avec moi. La meilleure chose qui ait résulté de cet accident a été ma fille. On m'avait dit que je ne pourrais jamais porter d'enfant après mes blessures, et surtout, que je ne pourrais plus marcher. C'était il y a 29 ans, et ma fille est maintenant âgée de 13 ans. J'ai mon propre cheval; je me suis remise à l'équitation après l'accident; j'ai quatre beaux bassets et un petit bâtard. Ce sont tous des chiens de sauvetage. Ma vie a complètement changé ce jour-là et je suis sûre qu'elle a fait de moi une meilleure personne.

... Oh, et je n'ai plus jamais roulé dans une voiture verte depuis cette journée-là ! — HAYLEY

L'archange Michael est très occupé, en effet. Il est de toutes les histoires. Il est clair que c'est un des anges les plus importants qui œuvrent avec les êtres humains. Il parle aux enfants, aide lors des opérations de sauvetage et apporte un réconfort. N'allez jamais croire que les anges ne sont pas réels... bien sûr, qu'ils le sont !

Histoires d'animaux de compagnie

Beaucoup de gens parlent aux animaux…
Très peu les écoute cependant… C'est tout le problème.
BENJAMIN HOFF, *LE TAO DE POOH*

Beaucoup de mes livres contiennent des histoires paranormales mettant en scène des animaux de compagnie. Nos animaux sont des énergies infinies d'amour inconditionnel ; à leur décès, cet amour survit à l'enveloppe corporelle. Je sais que ces histoires d'animaux touchent profondément mes lecteurs et lectrices, alors je tenais à en inclure une ou deux ici pour vous.

Mon chien bien-aimé m'est revenu

Nous n'avons jamais su l'âge de Belle exactement, mais nous pensions qu'elle était âgée d'environ 14 ans quand elle est décédée. Belle était une chienne tellement spéciale, un mélange de retriever de Nouvelle-Écosse. Mon futur mari et moi venions tout juste de nous rencontrer quand elle est entrée dans notre vie, une nouvelle relation, toute fraîche… c'était 1998.

Un jour, nous roulions en voiture, sans destination précise. Nous sommes arrivés dans un village où un petit festival privé se déroulait. Des bandes de musiciens se faisaient entendre, et cela semblait si divertissant que nous avons décidé d'arrêter. Dans la foule, j'ai repéré ce petit chien mignon, mais il était sale, maigre, timide et il suppliait qu'on lui laisse des bouts de hot-dog. Je me suis immédiatement attachée. J'ai commencé à poser des questions à son sujet, et on a découvert que c'était un chien errant. Belle avait l'habitude de graviter autour du bar où le festival avait lieu. Le propriétaire du bar était fatigué de l'entendre gémir et voulait la faire euthanasier. J'ai parlé à mon conjoint et nous avons décidé de lui donner la chance de continuer à vivre. Nous l'avons fait monter dans la voiture et elle est rentrée à la maison avec nous.

Les animaux ont toujours été une partie importante de ma vie. À cette époque, je voulais juste lui donner une seconde chance et lui sauver la vie. Lorsque nous l'avons ramenée à la maison, j'ai tout de suite su qu'elle avait été maltraitée. Elle avait peur de tout et ne faisait confiance en personne. J'avais moi-même eu une vie difficile... Je l'ai donc regardée dans les yeux et lui ai dit : « Je sais ce que tu as vécu. Je vais t'aider à retrouver ta force et ta confiance envers les gens. Je vais t'aimer du mieux que je peux, et je vais essayer de te donner la vie que tu mérites. »

Et c'est ainsi que notre aventure a commencé avec Belle. En peu de temps, elle a recommencé à faire confiance aux gens qui l'entouraient et elle devenue une chienne parfaite. Belle a toujours su nous faire rire et nous donner de l'affection comme elle seule pouvait nous en donner. Elle était incroyable dans tous les sens. Elle était toujours là pour moi quand j'en avais le plus besoin. Elle était ma confidente, ma meilleure amie, en plus d'être toujours à mes côtés.

Belle ressemblait à un ange. Elle était de couleur crème, avec des taches blanches aux quatre pattes, ainsi qu'une sur la poitrine. Elle avait l'habitude de nous faire rire quand elle jouait avec son canard en peluche qui couinait. Elle raffolait tout simplement de ce petit canard, bien que je n'aie jamais vraiment compris pourquoi.

Belle avait gagné de la confiance, mais elle demeurait encore timide. Elle adorait jouer, et elle transformait chaque moment de la journée en un jeu. Même avec sa nourriture, je devais lancer ses croquettes pour qu'elle coure après et les attrape. Son but dans la vie était de nous aimer. Elle adorait nous donner des bisous et savait comment nous faire rire. Elle avait l'habitude de faire cette chose étrange avec ses oreilles que j'appelais ses « oreilles de souris ». Quand je lui demandais de faire les « oreilles de souris », elle s'exécutait et nous faisait rire à n'en plus finir. Comme de nombreux chiens, elle aimait se faire masser le ventre. Peu importe combien de massages on pouvait lui faire dans une journée, ce n'était jamais assez ; elle en redemandait toujours.

Chaque moment passé avec Belle était une véritable bénédiction. Je lui ai dit à plusieurs reprises qu'elle était un ange envoyé du ciel. Nous avons tout traversé ensemble. Nous avons gardé tant de souvenirs du temps passé avec elle : les promenades, les jeux, les vacances, les escapades, les discussions... À Noël, on la déguisait sans qu'elle ne bronche, avec un chapeau de Noël et des oreilles de rennes. Elle nous regardait de ses yeux qui disaient :

« *OK… Ça ne m'amuse pas, mais je vais jouer le jeu parce que je sais que vous aimez ça !* »

Mais la meilleure chose a été de la voir surmonter ses peurs. Cela m'a enseigné qu'avec de l'amour, on peut surmonter n'importe quoi. Belle m'a appris à aimer inconditionnellement. Et grâce à elle, j'ai décidé de me consacrer aux animaux. En 2005, mon mari et moi avons inauguré un refuge à but non lucratif pour les chats. On a sauvé la vie de plus de 400 chats et chiens pendant le temps qu'on a tenu le refuge. Malheureusement, on a dû le fermer en 2008. Le manque d'aide et de soutien financier en avait rendu l'exploitation très difficile. Mais on prend toujours soin des 27 chats qui sont restés ; les plus âgés, ceux dont personne ne voulait. Certains d'entre eux ont des problèmes de santé comme le diabète, mais jamais on les abandonnera. J'ai maintenant 5 chiens, 27 chats et un cheval. On peut dire que nous sommes une famille.

Belle était spéciale et elle dormait dans notre lit avec nous. Elle aimait les promenades et, surtout, elle aimait monter avec moi dans ma jeep décapotable. Si je ferme les yeux, je vois encore sa fourrure et ses oreilles qui flottent au vent. Plus tard, nous avons trouvé un autre chien errant, un mélange de berger allemand et de rottweiler. Nous l'avons trouvé au milieu de l'autoroute. Il était alors âgé d'environ quatre mois. Nous l'avons ramené à la maison et lui et Belle sont bientôt devenus inséparables. Plus tard, nous avons adopté un basset hound. Et puis, bien sûr, nous avons ouvert notre refuge. Lorsque Belle est décédée, mon berger allemand passait son temps à la chercher et il n'était simplement plus lui-même. Belle dégageait une telle gentillesse, il y avait quelque chose de spécial dans ses yeux. Elle avait un tel amour à donner et elle représentait tellement pour moi. Beaucoup de gens m'ont déjà dit que les animaux n'avaient pas d'âme. Pour ma part, je ne l'ai jamais cru.

C'était Noël, en 2007. Belle a commencé à se sentir faible et, peu de temps après, elle a arrêté de manger. Nous nous sommes précipités chez le vétérinaire et ils lui ont fait passer tous les tests auxquels ils pouvaient penser. Les radiographies ont révélé qu'elle avait une tumeur de la taille d'une orange et que le mal s'était répandu dans tout le corps. Il était trop tard : ils ne pouvaient rien faire de plus. Mon monde s'est écroulé en quelques secondes. Je savais qu'un jour nous allions la perdre, mais je savais aussi que je ne serais jamais prête à laisser ma chienne adorée s'en aller. J'ai demandé au vétérinaire combien de temps il lui restait, mais parce qu'elle avait déjà cessé de manger, nous nous doutions qu'elle n'en avait plus pour longtemps.

J'ai demandé au vétérinaire de me donner quelque chose pour stimuler son appétit, puis nous sommes rentrés à la maison. Au cours des jours qui ont suivi, je lui ai préparé des repas spéciaux qu'elle ne pouvait manger qu'en petites quantités. Nous savions tous les deux qu'elle allait mourir et que nous n'avions plus beaucoup de temps ensemble. J'ai finalement décidé de mettre fin à ses jours. Le matin du 5 janvier 2008, j'ai regardé dans ses beaux yeux et j'ai tout de suite su qu'il était temps de mettre un terme à ses souffrances. Je suis restée avec elle tout le temps que nous avons passé chez le vétérinaire, en lui disant que tout irait bien et que nous serions, un jour, réunies à nouveau.

Elle a sombré dans un sommeil éternel juste devant mes yeux. De toute ma vie, je n'avais jamais ressenti une telle douleur. J'ai passé une semaine à pleurer comme je n'avais jamais pleuré auparavant. Je lui parlais en regardant des photos d'elle et je me remémorais tous ces beaux moments que nous avions passés ensemble. Je dormais avec son petit canard : ça m'apportait du réconfort. Et c'est là que j'ai commencé à prier mes anges. La douleur était insupportable.

Une nuit, dans mes prières, j'ai demandé aux anges de prendre soin de Belle. Dans ma grande tristesse et suivant mes propres besoins égoïstes, je leur ai demandé s'il n'y avait pas une façon de me la ramener ; je priais pour qu'elle ressuscite. Mon processus de deuil n'allait pas bien du tout. Mais une nuit, j'ai réussi à tomber dans un sommeil profond, et là, j'ai eu mon premier rêve. J'ai vu Belle dans une lumière éclatante, elle était si belle. À côté d'elle, il y avait une ombre grise ; une forme humaine entourée d'une lumière brillante. C'était un homme. Il m'a dit : « Elle est entre bonnes mains. Je vais prendre soin d'elle, et le temps venu, je vous la ramènerai... »

Je me suis réveillée et j'ai été ébahie par ce qui s'était passé. J'avais ressenti un tel sentiment d'amour et de paix en mon cœur et mon âme. Juste après, j'ai su que j'allais un jour revoir Belle, et la seule façon que j'imaginais cela possible, c'était qu'elle me revienne dans un autre corps avec l'aide de mes anges.

Cette nuit-là, cet ange m'a donné l'espoir que, oui, tout était possible ; le lendemain matin, j'ai donc sauté sur l'ordinateur et j'ai commencé à rechercher tous les éleveurs de retrievers de Nouvelle-Écosse. J'ai cherché et cherché, et j'ai finalement trouvé un éleveur de l'Ontario (situé à 16 heures de voiture de ma maison). Ils attendaient deux portées pour janvier, alors je les ai contactés et je leur ai raconté au sujet de Belle. Une des portées n'était déjà plus disponible, mais la suivante l'était toujours. Mieux encore, je serais la première à choisir un chiot parmi cette portée. J'étais aux anges !

Je communiquais avec l'éleveuse tous les jours, une charmante femme originaire d'Angleterre. Elle m'a envoyé des photos de la mère et du père de la portée qui s'en venait, et quand j'ai vu la mère, j'ai été très surprise de voir qu'elle ressemblait à Belle, mais dans une autre couleur. Le temps passait et Belle me manquait encore terriblement, mais j'étais déterminée à la ramener à la maison. C'était pour moi la seule façon de faire face à la douleur. Mais les jours difficiles étaient encore fréquents... chaque fois que les souvenirs remontaient à la surface. Je pleurais sans arrêt.

Une nuit, j'ai fait un autre rêve. Belle m'est apparue dans la même lumière brillante, le même ange à ses côtés. Et c'est elle qui m'a « parlé » cette nuit-là. Elle m'a dit : « Maman, cesse de t'en faire... je rentre à la maison... » Le lendemain matin, je me suis précipitée sur mon ordinateur afin de prendre mes courriels, et j'ai vu un message de la part de l'éleveuse. Elle me disait que les chiots étaient nés pendant la nuit et que tout s'était bien passé. La maman et les bébés se portaient tous très bien. Elle m'a envoyé une photo de la maman et des chiots ensemble. Les larmes coulaient sur mes joues. J'ai compris que Belle était venue me visiter pendant la nuit avant de s'incarner dans un nouveau corps. Nous étions à présent le 17 janvier.

J'ai dû choisir entre trois petites chiennes. Puisque j'étais située à environ 16 heures des chiots, il était difficile pour moi d'aller les voir. L'éleveuse m'a donc envoyé toutes les photos qu'elle pouvait prendre. Un soir, j'ai demandé encore une fois à mes anges de m'aider. « Comment vais-je savoir laquelle choisir ? » Quelques jours plus tard, j'ai fait mon troisième rêve. C'était le même ange, et il m'a dit que j'aurais un signe. Comme les chiots avaient grandi, l'éleveuse m'a envoyé une tonne de photos des trois petites femelles. L'une d'elles était de couleur plus claire. Belle avait une nuance de crème, ce qui est plutôt rare chez cette race, mais je savais aussi qu'elle était doublement mélangée. Et quand j'ai vu cette petite chienne, de couleur claire, j'ai su que c'était le signe que j'attendais.

Je sais que j'ai choisi la bonne. Je l'ai vue grandir sur les photos. J'ai reconnu le même regard dans ses yeux. Les mêmes marques blanches sur les pattes et la poitrine... même ma mère m'a dit un jour : « Regarde ses yeux : ce sont les mêmes que ceux de Belle. » J'ai raconté mon histoire à ma mère bien longtemps après.

Ma petite chienne est arrivée à la maison en mars, alors qu'elle était âgée de huit semaines. Elle avait fait le vol jusqu'à Québec, qui est située à trois heures de là où je vis. C'était le jour le plus excitant de ma vie ! Quand je l'ai vue dans sa petite cage, tout apeurée, je l'ai prise dans mes bras et je lui ai dit : « Sois la bienvenue, mon petit ange. » Elle n'était qu'une petite boule de poils, mignonne comme tout ; la plus précieuse et la plus jolie de toutes les petites chiennes que j'aie jamais vues. Nous l'avons donc ramenée à la maison, nous arrêtant souvent pour lui faire prendre de petites marches. Elle était timide, mais avant le troisième arrêt, elle s'est mise à jouer un peu. Elle était trop mignonne! Arrivés à la maison, nous l'avons présentée aux autres chiens, et tout s'est bien passé.

Nous l'avons appelée Fancy-Divine. Fancy est elle aussi un petit ange, le plus doux de tous les chiens. Son visage et sa personnalité font fondre le cœur de tout le monde. Elle donne beaucoup de bisous et adore jouer... et dans son cas, c'est vraiment une obsession. C'est un vrai clown. Lorsqu'on lui demande de rire, elle fait ce truc avec ses dents; vraiment trop marrant. C'est la chienne la plus adorable de tout l'univers. L'arrivée de Fancy n'a rien changé à notre mode de vie. Nous prenons toujours des marches, partons toujours en excursion, jouons à des jeux, prenons des vacances comme avant — elle est vraiment de tous les instants... en plus d'être ma meilleure amie.

Je crois fermement qu'elle est la réincarnation de Belle. Il y a eu tant d'indices pour le laisser croire. Le premier, c'est quand je lui ai donné de la nourriture (elle n'avait que deux mois à l'époque), le jour même où nous l'avons ramenée à la maison. Elle a regardé son bol et m'a ensuite regardée, exactement comme Belle le faisait. Belle m'invitait de cette façon à jouer avec elle, ainsi qu'avec sa nourriture. C'était le même regard, la même position... J'ai donc saisi une croquette et je l'ai fait glisser sur le sol, tout comme j'avais l'habitude de le faire avec Belle — et j'ai eu exactement la même réaction : elle a couru pour l'attraper. Nous avons continué encore un peu, puis elle s'est dirigée vers son bol pour manger le reste, tout comme Belle avait l'habitude de faire.

Fancy vient juste d'avoir trois ans et elle joue encore avec sa nourriture. Le regard dans ses yeux est le même… Je crois vraiment que c'est la même âme ; elle fait aussi les « oreilles de souris ». Elle a la même personnalité, sauf qu'elle est plus enjouée et moins timide. Je suppose que c'est parce qu'elle n'a pas eu à traîner les séquelles de mauvais traitements. Mais elle a toujours la même générosité, la même attitude. Belle n'était pas un chien agressif, mais quand elle était dans la voiture ou la jeep et que nous nous arrêtions pour de l'essence, elle avait peur de tous ceux qui faisaient le plein et jappait après eux. Je ne sais pourquoi, Fancy a développé la même réaction. Moi, mon mari, ma mère et mon père, sommes tous convaincus que Belle est de retour parmi nous.

Je crois aux anges. Je crois vraiment qu'ils sont là pour nous aider de toutes les manières possibles et qu'ils peuvent se manifester dans notre existence si nous les laissons faire et que nous les accueillons. Cette expérience a changé ma vie. Je sais que je ne suis pas seule. Je sais que mes anges sont autour de moi à chaque instant. Je sens leur amour. L'univers et les autres dimensions sont pleins de mystères. Je ne cherche pas de réponses. Je suis consciente que nous ne sommes pas seuls, et même si nous ne pouvons pas les voir, cela ne signifie pas que les anges et les forces paranormales ne nous entourent pas. Ce que j'ai vécu est bien réel et j'en remercie les anges du fond du cœur. Ils sont vraiment venus à moi. Et ils le font encore. Ils sont une partie de mon quotidien.

Ma chienne bien-aimée est vraiment revenue… Oh, et j'ai encore ce petit canard. Je lui ai réservé une place spéciale dans ma maison ! — **CHANTALE**

Tendre Lucy

Il y a plusieurs années, quand mon mari et moi nous sommes mariés, nous vivions dans une région isolée. On a alors pensé qu'il serait judicieux d'avoir un chien. Comme je travaillais de nuit, mon mari s'est rendu à la Société protectrice des animaux pour regarder les chiens errants qu'on proposait de reloger. Il a choisi une femelle, un mélange de boxer et de labrador, et lui a même donné le nom de Lucy, d'après Lucille Ball. Le lendemain, je suis allée voir la chienne pour vérifier si c'était la bonne pour nous. Heureusement, mon mari avait fait tout le travail de déblayage, pour ainsi dire, parce que quand je suis rentrée, il y avait tant de chiens que je n'aurais pas su lequel choisir. Je suis sûre que dans mon esprit, je serais ressortie avec plus d'un chien.

Lucy s'est avérée être une chienne vraiment spéciale. Elle s'est liée d'amitié avec le chien du fermier et tous les animaux qui se trouvaient aux alentours. Elle avait l'habitude de courir après les lapins, pour éviter qu'ils ne soient chassés au fusil, puis elle marchait dans la rue avec notre cochon Arnold pour accueillir mon mari Hugh quand il rentrait du travail.

Quand je rentrais tard du travail, Hugh allait souvent prendre quelques bières au pub qui était situé à environ un kilomètre de notre maison. Lucy semblait flairer où il était et elle allait se placer devant la porte du pub. Elle attendait que quelqu'un en sorte pour se glisser à l'intérieur et aller s'asseoir à côté de lui, comme pour lui dire : « Il est temps de rentrer à la maison. »

Pendant la saison de la chasse, les chasseurs de canards traversaient la propriété voisine de la nôtre afin d'avoir accès au ruisseau qui coulait à travers un certain nombre de propriétés. Un jour en particulier, un chasseur nous a fait remarquer que Lucy ferait probablement un bon chien de chasse. Mais il se gourait : elle courrait probablement après les canards plutôt que de les laisser se faire abattre. Le lendemain matin, on a cherché Lucy partout. Au début, je pensais qu'elle était avec Oliver, le chien de ferme, car il avait l'habitude de lui rendre visite après avoir fait rentrer les vaches. Pendant trois semaines, elle a été portée disparue, et j'avais même abandonné l'idée de la revoir. C'était un vendredi soir, quand je m'étais mise à consulter les journaux locaux à la recherche de chiots labrador, mais que je n'avais trouvé aucune annonce à ce sujet.

Je m'apprêtais à aller faire les courses hebdomadaires et, tout comme nous sortions pour nous diriger vers la voiture, devinez qui était assise au pied de l'escalier extérieur ? Lucy ! Quelles pensées merveilleuses ne me sont pas passées par la tête ! « Ouah, tu es de retour ? », lui ai-je lancé. Et je l'ai encouragée à monter les trois marches jusqu'à la porte. Mais c'était trop demander, elle ne pouvait pas le faire. Ses coussinets étaient en sang et la partie intérieure de ses jambes était tout écorchée. Hugh l'a transportée à l'intérieur et nous l'avons installée le plus confortablement possible, mais il lui a fallu une semaine pour se remettre sur pied. On ne s'est pas demandé où et avec qui elle avait été tout ce temps ; on a seulement pensé que tout ce qu'elle voulait, c'était de rentrer à la maison.

Lucy a continué d'amener à la maison tous les chiens errants qu'elle rencontrait. Elle a même déjà trouvé un chaton dont elle a pris soin comme si c'était le sien. Tous deux allaient partout ensemble. Les enfants ne faisaient qu'ajouter au mélange, puisqu'à cette époque, nous en avions déjà eu deux. Bien sûr, Lucy les aimait aussi, et elle aimait jouer avec eux et veiller sur eux comme ils le faisaient avec elle.

Malheureusement, le jour est venu où nous avons vendu notre maison de campagne pour vivre en ville et être plus près des écoles. Lucy a eu du mal à s'accommoder des restrictions et en semblait parfois très affectée. Ma sœur, qui souffrait de polyarthrite rhumatoïde, avait eu au cours des derniers mois des injections de sels d'or. À l'insu de la famille, le traitement lui apportait des effets indésirables dont le médecin lui-même ne se rendait pas compte. Après la dernière injection, elle est devenue très malade et a été confinée au lit. Le médecin la visitait chaque jour et était très inquiet pour elle. Le lendemain, notre bien-aimée Lucy est décédée d'une maladie du cœur ; nous étions tous sous le choc, car sa mort avait été si soudaine.

Cette nuit-là, Lucy a rendu visite à ma sœur en rêve. Elle lui a dit qu'elle était morte pour qu'elle, ma sœur, puisse vivre. Lucy lui a aussi confié qu'elle ne serait pas perturbée si je me procurais un autre chien. Néanmoins, il m'aura fallu 20 ans avant que je puisse me résoudre à en avoir un autre. Ce chien provient aussi de la fourrière, et tout comme Lucy, il est très aimé des gens et des autres animaux. — **VIOLET**

Expériences célestes de guérison

La guérison, me dirait papa, n'est pas une science,
mais l'art intuitif de courtiser la nature.

W. H. AUDEN

J'ai réuni ici deux sujets : les visites dans l'Au-delà et les rencontres de guérison. Je pense qu'ils représentent tous deux des expériences tout aussi magiques. Voyons ce que vous en pensez.

Au cours d'une expérience de mort imminente, beaucoup de gens visitent un royaume céleste pour un bref moment avant d'être renvoyés dans notre monde par un ange ou un parent décédé. On leur dit : « Votre temps n'est pas venu. »

Dans l'histoire qui suit, la lectrice n'est pas morte… du moins, pas que nous sachions, mais elle était très malade. Ces rencontres célestes sont très rares et, par conséquent, elles méritent d'autant plus que nous les consignions. Ce n'est pas tous les jours que vous avez droit à un aperçu d'un petit coin de paradis.

Voler avec mon ange

Mon nom est Tammie, et à l'âge de 33 ans, je suis soudainement tombée très malade. Après être allée voir mon médecin presque tous les jours pendant environ 10 mois, on m'a finalement diagnostiqué une fièvre Q (une maladie causée par une infection à la Coxiella burnetii *et qui affecte les humains autant que les animaux). Même aujourd'hui, des années plus tard, je suis toujours malade.*

Je crains plus que tout de mourir et je n'aime pas être seule. Chaque jour est un combat, et c'était une véritable source de stress pour mon merveilleux mari Tim et nos cinq enfants. Tim n'avait que 36 ans quand je suis tombée malade, et nos enfants n'en avaient que 10, 8, 7, 6 et 5… plutôt jeunes pour devoir supporter une mère malade.

Je crois fermement, au fond de mon cœur, qu'un jour je vais aller mieux. Je suis toujours à la recherche de soutien et, après avoir lu vos livres, cela m'a encouragée à demander à mon ange gardien de l'assistance et de l'aide tous les jours. Il m'a vraiment aidée. Jusque-là, je ne m'étais jamais vraiment posé la question à savoir si je croyais aux anges ou non. Mais j'ai toujours senti qu'il y avait « quelque chose » là-haut, même si je ne savais pas ce que ce pouvait être.

À l'époque où je suis tombée malade, je faisais quelques jours de bénévolat par semaine à l'Armée du Salut pendant que mes enfants étaient à l'école. J'adorais vraiment ça. Les gens avec qui je travaillais étaient tous merveilleux et je me plaisais à être parmi eux. J'ai été si triste d'avoir à quitter mon travail. Je suis devenue tellement malade que je ne pouvais plus rester debout très longtemps ; il m'était même difficile de marcher, alors à la fin, je n'ai eu d'autre choix que d'arrêter le bénévolat.

J'avais constamment de la fièvre et j'éprouvais sans cesse de la douleur, des vertiges et des tremblements. Ma vie avait ralenti au minimum. Parfois, je dormais jusqu'à 22 heures par jour. J'étais incapable de conduire, et la situation a tellement empiré que je ne pouvais plus m'occuper de ma famille ou de moi-même. Mon charmant mari, Tim, s'est occupé de tout.

Les enfants ont grandi très rapidement et ils se sont tous vus contraints de participer aux tâches, en préparant par exemple les lunchs pour l'école, en faisant la vaisselle, en mettant la lessive à sécher, en balayant les planchers ou en faisant tout ce que mon mari leur demandait. J'étais tellement fière de la façon dont ils se venaient en aide. Le patron de Tim lui donnait parfois congé pour qu'il puisse s'occuper de moi, et quelques très bons amis venaient passer du temps chez moi ; j'avais trop peur d'être laissée seule parce que j'avais une telle peur de mourir. Je passais des heures et des heures au téléphone avec ma mère pour qu'elle me soutienne, et ma merveilleuse belle-mère est venue rester avec nous pour s'occuper de moi quand Tim ne pouvait pas s'absenter de son travail et quand nous avons dû déménager parce que je devenais allergique à tout ce qui m'entourait. C'est à ce moment que je me suis rendu compte à quel point j'avais de la chance d'avoir des gens aussi merveilleux dans ma vie. Si je pouvais m'estimer choyée, c'est bien parce que tant de gens m'aimaient et se souciaient de moi.

Juste après être tombée malade, je me souviens un jour où j'étais assise dans notre salon pendant que Tim et les enfants vaquaient à leurs occupations ; tandis que l'un se préparait un thé, les autres faisaient leurs devoirs ou s'amusaient tout simplement. Même si j'étais assise dans la pièce, une partie de moi sentait que j'étais à l'extérieur en train d'observer les choses. Il semble que c'était une sorte d'expérience extracorporelle. C'était comme si je m'étais trouvée en vol stationnaire au-dessus du sol, à regarder tout simplement en bas. Je pouvais même me voir assise dans le salon. C'était si étrange que je me suis par la suite efforcée d'évacuer cette expérience de mon esprit.

À cette époque, je passais la majeure partie de la journée à dormir. Je rêvais beaucoup, mais je ne me souviens pas très bien de la plupart des rêves que j'ai eus. Mais ce rêve-là n'était pas comme les autres. Je m'en souviens très bien, comme si c'était arrivé hier. J'ai eu des rêves dans lesquels je volais auparavant, mais là, c'était différent ; c'était réel.

Peu de temps après mon expérience extracorporelle, une nuit, j'étais en train de dormir quand je me suis brusquement réveillée. Je me suis sentie comme si j'avais atterri sur le lit dans un grand fracas. Mon cœur battait très fort et je suis demeurée assise là pendant un long moment. La chose la plus étrange, c'est que je me suis rappelé exactement ce que je faisais avant d'atterrir dans mon lit. Je volais en compagnie de mon amie, Jan, qui était décédée depuis seulement un an environ. Cela peut paraître étrange, mais on était en train de voler autour d'une énorme montagne qui venait de s'effondrer. Il y avait des gens pris au piège partout et on essayait de

*sauver tout le monde. Mais même si c'était une catas-
trophe, l'endroit était très beau : il y avait des cascades,
des arbres et des grottes.*

*Je me souviens que mon amie me tenait la main tandis
qu'on survolait une énorme montagne. Je savais qu'il y
avait eu un glissement de terrain dans la zone au-dessus
de laquelle on se trouvait, et on était en train de sauver
tous ces gens et de les mettre en sécurité. La montagne
était sombre, mais les gens qu'on aidait portaient tous
des vêtements clairs. On les déposait à côté de grands
arbres verts remplis de fleurs roses. Des gens arrivaient
des grottes et des gros rochers, et on les mettait à l'abri
sous les arbres.*

*Pendant tout ce temps, mon amie Jan ne m'avait
jamais quittée une seule fois, mais tout d'un coup, elle m'a
laissée et s'est envolée au loin. Je l'ai suivie ; elle volait vers
quelque chose de lumineux à travers un brouillard, puis
elle s'est arrêtée et m'a dit que je ne pouvais pas l'accompagner plus loin, que je devais rebrousser chemin. Comme je
suis têtue, j'ai continué à la suivre, mais elle s'est arrêtée
de nouveau, et cette fois, elle m'a dit très clairement :
« NON ! » Elle m'a dit que je devais rentrer. Puis soudainement, je me suis sentie tomber. C'est alors que j'ai
atterri sur le lit de façon si abrupte que je pensais avoir
réveillé mon mari ! Je me suis alors rendu compte que
j'étais assise dans le lit. J'étais très surprise. J'en ai parlé à
mon médecin, et sa réponse a été de me prescrire des anti-
dépresseurs. Malheureusement, ils m'ont rendue encore
plus malade.*

*Avant de mourir d'un cancer, Jan était l'une des res-
ponsables au travail de mon mari Tim. Par le biais de*

liens professionnels, nous étions devenues de bonnes amies. J'avais tellement de respect pour elle. Elle était une personne merveilleuse et un bon patron. Elle m'a toujours fait sentir que j'étais spéciale. Lorsque nous parlions des enfants, elle se montrait très positive et très encourageante; elle aimait raconter des histoires. Nous étions toujours sur la même longueur d'onde. Nous aimions rire et discuter, et nos échanges m'ont manqué quand elle nous a quittés.

Je suis allée voir Jan quelques jours avant sa mort. Elle était si malade et si fragilisée, mais elle avait encore son sens de l'humour. Elle a plaisanté à l'effet d'avoir essayé de perdre du poids pendant tant d'années, et que maintenant, à cause du cancer, elle était beaucoup plus mince. Je me suis sentie très coupable de ne pas avoir eu la force d'aller à son enterrement. Peut-être que Jan m'a rendu visite pour me dire qu'elle allait bien et pour m'indiquer que mon tour n'était pas encore venu. Je sais qu'elle m'a pardonné de ne pas être allée à son enterrement. Peut-être qu'elle ne faisait que m'avertir que je devais rester encore ici-bas.

Je me rends maintenant compte que le truc clair et brumeux à travers lequel Jan avait disparu dans mon rêve n'était rien de moins que le paradis. Je crois que Jan ne voulait pas que je la suive parce que je devais rester sur Terre pour m'occuper de ma famille. J'aimerais tellement me sentir bien et forte à nouveau. Il y a encore tellement de choses que je veux faire dans ma vie.

J'ai raconté mon expérience à Tim quand c'est arrivé. Il a simplement écouté, sans porter de jugement, comme il le fait toujours. Jan n'est jamais revenue dans mes rêves, mais je ne l'en aime pas moins. J'aurais simplement aimé savoir si elle voulait que je partage cette information avec les membres de sa famille. Je pense qu'elle est peut-être désormais l'ange gardien de son propre fils, et qu'on l'a simplement envoyée pour m'aider quand j'en avais besoin. Je n'en sais trop rien. Est-elle toujours mon ange ? Je me le demande encore aujourd'hui.

J'ai aussi abordé le sujet des anges avec Tim ; je lui ai demandé ce qu'il en pensait, et il m'a dit que oui, dans une certaine mesure, il y croyait. Il pense que c'est possible que quelque chose soit là. Je ne comprends toujours pas beaucoup de choses qui me sont arrivées, mais je peux vous dire ceci : je suis impatiente qu'elles se reproduisent. Je parle à mes anges tout le temps. Je les remercie tous les jours de me garder sur Terre, avec ma famille, et de veiller à mon rétablissement. — **Tammie**

Pour terminer, une belle histoire d'un passage vers l'Au-delà.

Ange en attente

Ma mère a souffert d'immobilité pendant de nombreuses années en raison d'une fracture de la hanche qui avait été mal diagnostiquée. Puis, au fil des ans, sa santé s'est à ce point détériorée qu'on lui a diagnostiqué un cancer il y a quelques années. J'ai toujours pensé que c'est ce qui entraînerait sa perte, mais elle a lutté et lutté, et elle est restée parmi nous afin de regarder ma fille (sa petite-fille) grandir (nous vivions à l'étage et maman vivait en bas, dans le même immeuble).

Au fur et à mesure que sa santé se détériorait, elle a commencé à souffrir de rétention d'eau dans les jambes, ce qui a fini par gagner d'autres parties du corps et à mettre de la pression sur son cœur et ses poumons. Après une chute, elle a été transportée à l'hôpital (c'était un jeudi, je m'en souviens). Quand je suis allée la voir, le médecin m'a dit qu'elle souffrait d'insuffisance cardiaque congestive et qu'elle pouvait nous quitter à tout moment.

Inutile de vous dire que les jours suivants ressemblaient à un flou total et absolu. Ma mère, Dieu bénisse son âme, s'est montrée si courageuse. Elle savait que son heure était venue et elle a demandé à voir l'enfant avec lequel elle s'était brouillée (ma sœur), de sorte que les deux pourraient se voir une dernière fois avant qu'elle ne meure. Nous n'étions pas entrées en contact avec elle depuis un bon moment, alors évidemment, ma sœur savait que tout appel qu'elle recevrait de moi serait « l'appel fatidique ». Le samedi suivant, maman a finalement vu ma sœur et elle a ensuite demandé que le prêtre de sa paroisse vienne à son chevet. Elle savait que son heure était venue et elle s'est préparée pour les derniers sacrements. Elle a aussi demandé à voir ma fille. Le dimanche s'est avéré un jour très émouvant pour la famille et pour maman. À la suite de quoi, elle a demandé à ma sœur de rentrer chez elle, et elle a dit qu'elle n'accepterait que ma présence.

Le lundi, la situation a pris un tournant dramatique. Elle a commencé à me parler en polonais (sa langue maternelle), mais je ne l'ai pas comprise puisque je ne parle pas cette langue. Elle s'est ensuite mise à parler de choses qui s'étaient passées plusieurs mois et années auparavant, comme si elles s'étaient passées hier, et je sentais qu'elle était souvent ailleurs une grande partie de la journée. Je savais que son heure était proche.

Le mardi matin, quand j'ai appelé l'hôpital, on m'a dit qu'elle était dans un état « stable ». Puis, une demi-heure plus tard, j'ai reçu « l'appel » : je devais me rendre au chevet de maman, car sa respiration était devenue très difficile.

Quand je suis arrivée à l'hôpital, j'ai su que ses derniers instants étaient finalement arrivés. Je me suis assise avec elle, je lui ai parlé et je lui ai tenu la main. Pendant un moment, je ne pense pas qu'elle savait que j'étais là. J'étais assise à sa droite, et tout d'un coup, l'air autour d'elle s'est refroidi. Elle a tourné la tête vers la gauche, a ouvert les yeux et a essayé de parler. Je pouvais distinguer les mots « Non, pas tout de suite ! »

Quelqu'un était là pour elle. Mais en me disant ça, elle s'est aussitôt tournée vers moi et m'a dit qu'elle m'aimait. Elle m'a serré la main si fort que c'était comme si elle avait recouvré la force de sa jeunesse. Il semble que la personne qui était venue pour elle soit restée dans la chambre pendant un certain temps ; je pouvais en témoigner, car elle ne cessait de tourner la tête vers celle-ci et je pouvais sentir ce sentiment de paix qui régnait dans la pièce.

À 13 h 5, ma mère a rendu son dernier soupir. J'étais tellement heureuse d'être avec elle, qu'elle ne soit pas seule pour affronter cette épreuve, et j'étais si contente que quelqu'un soit là pour l'accueillir et l'amener de l'autre côté. Cela m'a aussi donné un sentiment de paix et quelque chose que je n'oublierai jamais : quand notre heure est venue, nous ne sommes pas seuls.

Tout ça n'est arrivé que la semaine dernière, mais je sens la présence des anges autour de moi quand je sens que j'arriverai à passer au travers. Ils me donnent la force et l'amour dont j'ai besoin pour continuer. Savoir que ma mère est prise en charge par quelqu'un pendant son périple me remplit de bonheur. — JOLA

Les anges sont réels... la vie après la mort est bien réelle. Il y a tellement d'expériences angéliques et de mort imminente qui ont été documentées que nous avons atteint une «masse critique» — un temps et un espace où il devient évident que la vie continue, et que même si nous sommes sur Terre, nous sommes protégés et soignés par des êtres célestes. Bien sûr que c'est vrai!

J'ai vraiment aimé partager ces expériences magiques et miraculeuses avec vous. Naturellement, j'ai sélectionné pour vous quelques-unes des expériences les plus spectaculaires, mais même les expériences simples et subtiles que nous rencontrons ont de la valeur. Si vous demandez de l'aide, prêtez attention à un signe qui pourrait prendre la forme d'une plume d'ange. Peut-être aussi que vos proches vous rendront visite lors d'une expérience sous forme de rêve. N'oubliez pas ce que j'ai suggéré précédemment et trouvez-vous une belle photo de la personne décédée (si possible), ou souvenez-vous d'un moment spécial passé ensemble afin de vous aider à établir une connexion avec l'être cher décédé. Ensuite, vous pouvez commencer à parler. Vous saurez que «l'appel céleste» a débuté lorsque vous ressentirez l'émotion que fait naître en vous leur absence — vous sentirez un changement de toutes sortes et remarquerez peut-être que des larmes vous montent aux yeux, ou vous pourrez sourire en vous remémorant un moment spécial que vous avez passé ensemble. Il suffit de leur demander d'entrer en contact avec vous de toutes les façons possibles. Les expériences de visitation sous forme de rêves ne sont qu'un moyen parmi d'autres — même si c'est mon préféré !

Les anges veillent sur ceux que nous aimons, qu'il s'agisse d'êtres humains ou d'animaux, et ils prennent soin de tous ceux qui nous sont chers, qu'ils se trouvent du côté terrestre ou céleste de la vie. Je pense qu'il est désormais évident que les anges représentent un phénomène réel et qu'ils se manifestent de plus en plus dans nos vies. Tant de gens entrent maintenant en contact avec les anges ; si vous n'en avez toujours pas rencontré, ne vous inquiétez pas — c'est simplement une question de temps. Soyez patient.

Les expériences angéliques, et principalement les contacts avec les êtres chers qui nous ont quittés, ont toujours fait partie de ma famille. Mes sœurs et moi avons notamment des contacts réguliers avec notre oncle et notre père décédés. Papa fait autant partie de notre vie aujourd'hui qu'il en faisait partie de son vivant. Vous aussi pouvez profiter d'un contact avec l'Au-delà… il ne suffit que de demander un signe !

Peut-être que, comme moi, vous serez témoin de choses sournoises comme des boules de billard qui s'entrechoquent au milieu de la nuit (peut-être était-ce en fait mon père dans cette auberge, car c'était un excellent joueur de billard !), ou bien un défunt membre de votre famille qui commence à jouer avec vos fichiers informatiques ! De la grosse pêche, en effet ! Merci pour celle-là, papa !

Souvenez-vous aussi qu'ils font clignoter les lumières, qu'ils peuvent faire jouer de la musique, faire tomber des photographies, des livres et des magazines, attirer votre attention sur des plaques d'immatriculation ou des affiches, ou encore s'amuser avec vos appareils électriques et une panoplie de mécanismes. Vous ne saurez jamais à quoi vous attendre, mais ce sera toujours merveilleux. Ne laissez pas la peur vous empêcher de vivre une expérience fantastique. La peur est l'émotion qui freine le contact avec les anges et l'Au-delà. N'oubliez pas : ils essaient de nous remonter le moral, pas de nous effrayer à mort !

Je suis triste que nous soyons arrivés à la fin d'un autre livre, mais si vous sentez que vous avez besoin d'en apprendre davantage sur le sujet, je vous invite à explorer les nombreuses sources d'information qui existent sur ce genre de rencontres paranormales (et voyez-en plus à ce sujet dans la liste des ressources qui suit).

Ressources

De la même auteure :

Livres en anglais

An Angel Held My Hand (HarperElement)

Angel Kids (Hay House)

An Angel Treasury (HarperElement)

Angels Watching Over Me (Hay House)

Call Me When You Get to Heaven (avec Madeline Richardson ; Piatkus)

Dear Angel Lady (Hay House)

Healed by an Angel (Hay House)

A Little Angel Love (HarperElement)

Livres traduits en français

Un ange m'a sauvé la vie (Broquet)

Bénédictions des anges (AdA)

Nous avons tous un ange à nos côtés (Contre-dires)

Le recueil des fées (AdA)

Secrets des anges (AdA)

Cartes

Cartes — Secrets des anges (AdA)

DVD

Angels (New World Music)

CD

Angels Cards on CD-Rom (Paradise Music)

Angel Workshop (atelier avec meditations; Paradise Music)

Crystal Angels (musique de Llewellyn, textes de Jacky; Paradise Music)

Ghosthunting Workshop (avec Barrie John; Paradise Music)

Healing with Your Guardian Angel (méditations guidées; Paradise Music)

Meet Your Guardian Angel (méditations guidées; Paradise Music)

À PROPOS DE L'AUTEURE

Jacky Newcomb est lauréate de nombreux prix et une auteure à succès du *Sunday Times*. Elle est la chroniqueuse angélique attitrée du magazine *Take a Break's Fate & Fortune*. Jacky a écrit des centaines d'articles sur les phénomènes paranormaux pour des magazines et magazines électroniques partout à travers le monde. Elle est régulièrement en vedette dans la presse britannique, en plus d'être fréquemment interviewée à la radio et à la télévision.

Jacky donne des conférences et des ateliers partout au Royaume-Uni, ce qui l'amène à rencontrer des milliers de personnes chaque année. Elle a travaillé auprès de nombreuses célébrités, dont plusieurs sont devenues des amis et des admirateurs de son travail! Jacky est tout simplement l'experte vers qui les experts se tournent!

«[A]uteure et personnalité médiatique à succès...» — *The Weekly News*

«J'adore les livres de Jacky!» — Melissa Porter, présentatrice pour la télévision

«[L]es livres de Jacky Newcomb ont fait d'elle une personne très respectée dans le domaine de la communication angélique et paranormale. Le travail de Jacky est une lecture incontournable pour tous ceux qui souhaitent en apprendre davantage sur ce sujet passionnant... » — Uri Geller

Jacky a un site Web très exhaustif où vous pouvez trouver de l'information gratuite et des liens vers son compte Twitter et sa page Facebook.

www.jackynewcomb.com

De la même auteure

Cartes :

Secrets des anges

Livres :

Secrets des anges
Le recueil des fées
Bénédictions des anges
Je vois des anges

ADA
éditions

www.ada-inc.com
info@ada-inc.com

www.facebook.com/EditionsAdA

www.twitter.com/EditionsAdA

Protégés
par les anges

IV